文學小識

慕容羽軍文學概論集

慕容羽軍　著

編者
黎漢傑、司徒仲賢、黃晚鳳

本創文學 68

文學小識

作　　者：慕容羽軍
責任編輯：黎漢傑、司徒仲賢、黃晚鳳
封面設計：Gin
內文排版：陳先英
法律顧問：陳煦堂 律師

出　　版：初文出版社有限公司
　　　　　電郵：manuscriptpublish@gmail.com

印　　刷：陽光印刷製本廠

發　　行：香港聯合書刊物流有限公司
　　　　　香港新界荃灣德士古道220-248號
　　　　　荃灣工業中心16樓
　　　　　電話：(852) 2150-2100　傳真：(852) 2407-3062

海外總經銷：貿騰發賣股份有限公司
　　　　　電話：886-2-82275988　傳真：886-2-82275989
　　　　　網址：www.namode.com

版　　次：2024年5月初版
國際書號：978-988-76544-6-9
定　　價：港幣98元　新臺幣360元

香港藝術發展局
Hong Kong Arts Development Council 資助
香港藝術發展局全力支持藝術表達自由，
本計劃內容並不反映本局意見。

目 錄

小說篇

散文篇

新詩篇

通論篇

從筆戰看舊日期刊的價值
——《文學小識》代序

　　以前受香港藝術發展局資助整理《香港文學書目續編》的時候，看到有人評論，大意是：這些工作，弄個網頁整理就好了，何必資助這些計劃？我是參與者，當然生氣，但是究竟怎樣說明整理資料出版的意義呢？我一直想不通。但是，經過這些年的出版工作，尤其是這一本遲來的《文學小識》，倒覺得心中開始有了答案。

　　整理出版文獻資料，除了一些資料、數據，更重要的是看到每一個文化人在特定的文化場域如何寫作、研究，甚至與人爭辯。從這個角度看，整理慕容羽軍前輩早年的評論文章，其實可以看到有好幾個論戰圍繞著他和當時的文壇。當時的辯論過程是否有意氣之爭，也許可以作為茶餘飯後的文壇八卦，但今日時過境遷、人事滄桑已變得不重要；重要的是他們討論的問題，都是認真地探討文學的某些概念。本文則以慕容羽軍經歷過的一場筆戰，研究當時的文學概念和文化場域。

　　這一場筆戰發生在一九五〇年代的《文壇》，分別是〈論偵探小說〉（《文壇》第 135 期，1956 年 6 月）和〈武俠小說的存在與價值〉（《文壇》第 181 期，1960 年 4 月），細看兩篇文章，論偵探的也在討論武俠；論武俠的亦兼議偵探。慕容羽軍在〈論偵探小說〉開頭就說：「一提起『偵探小說』。免不了使人有『卑之無甚高』之感，這是習慣使然，也是中國文壇之各類作家並未普遍發展和普遍提高每一類作品的境界有以致

之。」可見，所謂通俗文學，當時人的概念就是用來消遣的，作者也未必覺得創作一部偵探小說是好光榮的事。回頭看當年的出版物，例如三毫子、四毫子小說，當中是有偵探這一類的作品，但作者的署名很多都是筆名。其中一個（當然不是唯一）理由就是這些創作，上不了大場面，才不想給人知道。

所以，作者才要撰文扭轉大眾的觀念：

> 其實，偵探小說本身並沒有什麼值得非議之處，善於運用偵探小說的特性，也未始不是一種良好的教育工具，一如近日來有一般人非議連環圖畫一樣；不止我這麼想，許多人已經埋頭去做了，連環圖畫的壞處並不是因為它是「連環圖畫」，而是因為它沒有好的內容。有了好的內容，連環圖畫該不再是壞的東西了。同樣，有了好的內容，偵探小說也能成為好的東西。所以，我們看偵探小說的地位，必須先行改變固有的觀念，把這種觀念看做和其他的愛情小說也好，心理小說也好，都列為同一的地位，才不失為對文學的一種純正的態度。

慕容羽軍苦口婆心地說偵探小說「本身並沒有什麼值得非議之處」、「未始不是一種良好的教育工具」、「同樣，有了好的內容。偵探小說也能成為好的東西」，正正是因為當時社會的主流意見、甚至文學中人的意見都覺得偵探小說「確實值得非議」、「教壞孩子」、「不是一個好東西」，才會不嫌麻煩，一再辯護。

當然以上的辯護，還需要一些實質的證據立論，因此下文才追尋源頭，說到中國偵探小說的產生原因：

> 我國古代的立法，沒有今天想得那麼週到，……因
> 此，偵探的行為是由於法治和人權擴展了的國度或社會
> 才感到需要，在這同時，偵探小說的滋長，便應運而生。

為某種文類尋找存在的合法性，本身正是因為它處於弱勢，須
要訴諸權威，以鞏固它的地位。這些做法，本身沒有對錯可
言，只要言之成理即可。回顧慕容羽軍的說法，這種對法治和
人權的願景，既是挖掘古代中國人的文化潛意識，也是對當前
社會現況的間接批評。

為偵探小說鳴不平之外，慕容羽軍在這篇文章卻忽然說到
武俠小說：

> 我國的偵探小說，深入的研究，多少是淵源自武俠
> 小說，最少，也和武俠小說相通，這些現象，已經是近
> 代的了……

偵探源自武俠，那既然偵探可登大雅之堂，更別說始祖的武俠
小說了。這種說法，隱隱然為之後寫的文章〈武俠小說的存在
與價值〉鋪路。

要了解這篇文章撰寫的原因，一定要熟悉當時文化界正
在討論甚麼。文章刊登於一九六〇年四月，就在數個月之前，
一九五九年十二月八日，胡適在台北木柵的世界新聞學校演
講，主題是「新聞記者的修養」，有一段厚偵探薄武俠的言論：

> 我們中國文學的唯一的缺點，就是沒有翻譯的最好
> 的偵探小說。現在有許多報紙都刊武俠小說，許多人也
> 看武俠小說，其實武俠小說實在是最下流的。偵探小說

是提倡科學精神的，沒有一篇偵探小說，不是用一種科學的方法去求證一件事實的真相的。

這在當時是引起很多的討論。演講兩日之後，即十二月十日，金庸在《明報》就寫了一篇社評文章：〈最下流之胡適之〉，內容有一段非常激烈的言辭：

> 胡適之博士胡適之乎？……何以又適台灣也？原來在胡博士眼中，台灣非中國地也，乃美國地也。胡適之適台灣，非履中土，乃處於我祖宗老爺美國之偉大土地也。於是美國人送「我的朋友胡適之」以博士銜，有骨氣之中國人卻稱之為「最下流之胡適之」焉！

明眼人一看關鍵字「最下流」，就知道胡適演講的內容傳到香港去，金庸是真的生氣了。

生氣的不止金庸，慕容羽軍都覺得胡適所言非常不公：

> 記得四年前，我曾在本刊發表一篇〈論偵探小說〉。我寫成此文時，曾與好幾位文藝雜誌的編者談論過，他們都認為「偵探小說」是不足道的，因此，他們不止表示反對，而且更反對我去討論它。但是，我堅決相信，偵探小說無論如何是小說的一種，即如小說是文學的一種一樣。最近，首倡新文藝運動的胡適博士也發表了一篇演講辭，指出偵探小說也是文學的一種；於是，有些反對偵探小說的人悄悄地也贊同起來了。胡氏所講的內容，和我四年前的文字不謀而合。雖然他這麼說了，我並不以為胡適的見解和我相同便認為有什麼光榮，相反

的，我對胡適博士同時所發表勸人多看偵探小說，勿看武俠小說這句話表示反對。

慕容羽軍捍衛偵探小說的價值，但沒有把胡適視為同道。理由之前已提過，在他的心中，偵探源自武俠，兩者可謂類近母子關係，絕對不可能發生母體文類下流，因而脫胎產生出來的文類是上流的道理。

文章繼而也提到，猜測大眾討厭武俠小說的理由是：

> 我曾綜合了一些反對武俠小說的人底意見，大概有下列幾個感覺：一、由於一些人看了早期的武俠小說而產生偏執的印象。這原因是由於早期的武俠小說多帶點神怪色彩。他們認為其中所說的劍仙吐納，把鋒利的寶劍變成彈丸，吞到肚裡的怪誕方法，足以導致少年人想入非非，而令一些孩子有入山拜師學劍的幻想；二、有些人認為描寫一個劍客的武功過份驚人，根本是常人所不可能的，因此，變成了一種非現實的小說而失卻其文學上的價值；三、更有一些人因為香港較早些時出現的新派武俠小說是在左派報刊上風行起來，同時，又由於有一個武俠小說雜誌與左派人士因這一個問題展開筆戰而掀起了一種政治成見，認為武俠小說是左派的產物，統戰的工具。

第一點的「怪力亂神」，其實就是站在儒家文學觀的角度來看武俠小說，文學有教育功能，但武俠小說只會教壞人，所以是既不道德，也沒有藝術價值。第二點，就是一種極端現實主義

的文藝觀，以為要寫的材料只能是當前社會發生過，不模仿真正存在的世界，就不成其為文學。這兩點，現在看來，當然是完全過時了，但確實反映了五六十年代一般人對嚴肅文學的想像和要求。

至於第三點，則是從香港的武俠小說產生的背景來看。慕容羽軍覺得武俠小說自古代就有，胡適怎會不知道？在胡博士的心中，出問題的可能是當時在香港新興起的武俠小說。一九五四年一月香港太極拳吳公儀和白鶴派陳克夫兩位武師，從報上的口水戰進而約定面對面一決高下，賽事在澳門舉行。當時左派報紙《新晚報》編輯羅孚立即找梁羽生馬上寫一篇武俠小說應景。一月十七日比武，二十二日梁羽生就在報章開始連載他第一部武俠小說《龍虎鬥京華》。梁羽生的筆法和之前的武俠小說迥異，棄用文言，全用白話，以現代的文藝小說風格下筆。小說技巧參考外國文學之餘，更滲入少年男女的愛情，因此大受歡迎。因此，新的香港武俠小說，比較有名的如梁羽生、金庸等，實際上都是出身自左派報刊的系統。胡適會不會懷疑這種武俠小說，它的寫作是有特殊任務？真相是如何不重要，重要的是在慕容羽軍的眼中，胡適之所以討厭武俠小說，似乎和政治有關係。這對於一向政治中立，少言派別的他來說，無疑容易反感。

由此看來，慕容羽軍的評論文章，抽離歷史語境的話，當然也有學術的價值。但是，如果放回具體的歷史情境，折射出的社會、文化、政治信息，也一樣是值得仔細探究的課題。

小説篇

怎樣寫成一篇小說？

　　本期我要寫的詩論都寫起了，編輯小姐卻轉來一封讀者楊若櫻君的來信，並附來一張條子，說本期徵求短篇小說，收稿量最多，但真是小說的卻很少，楊君的來信也是提及小說的寫作問題的，因而把已寫的文章按下來；再為《學友》寫一篇談小說寫作的文字，並代答楊君。

什麼是小説？

　　要想知道怎樣寫小說，毋寧先曉得怎樣才是小說更為有用。許多人把模糊的印象，湊合了一些道德教條，揉了一揉，以為這就是小說了。其實，這樣做法是錯誤的，一篇小說，猶如一幅圖畫，畫面表現出的東西，都是具體的，一件一件放置得很合法度，很具美感的。假如你隨便把一張紙，東塗一塊，西畫一線，這是沒有具體的呈現，如果說它是藝術，就只好說是「印象」的藝術了。這兒，可以說明了印象的顯現不是小說，小說，必須是形象的呈現。印象與形象的分別剛才所說的一幅圖畫的例子較為明顯，如果要更進一步的解釋，那就只好說「印象」是無形的活動，「形象」是有形的活動。無形的活動給欣賞者以深入的思維，從一點一線來啟發自我的感觸。所以，「印象派」的圖畫，欣賞者必須有高度的藝術素養才能領略，而每一欣賞者所處的環境與角度的不同，所看出的感覺

也就不同。印度有一則寓言，說兩個瞎子用手摸著一個大象，一個接觸著象鼻，他便説，象，是一條很長的蟲；一個接觸著象身，卻説象是一團很大很圓的肉球，他們看的都是象，因為他們盲，所以只憑印象，結論就各有不同。在文體中，散文和詩都是印象的，欣賞者的結論也就不一定是一致的；屬於形象的小説，那就不同了，作家把要呈現的故事，具體而細微地一一呈現，所以，它是廣大人群的讀物。同時，它所要表現的主題，也容易給欣賞者領略，近代小説的蓬勃發展，原因就在這裡。

寫作三階段

再進一步，怎樣去寫呢？

在創作形象化的文學作品的過程中，必須循著：覓取原始故事——素材；整理原始資料——構思；安排故事秩序——呈現。

什麼是素材？素材，是未經潤飾的，原始的故事梗概。第一步，去覓取一個不完整的，或者完整的原始資料，在心目中認為這故事是足以構成一個有形的活動畫面的，同時，又必須具備了與人類生活有關的動人故事。有了素材，便可展開第二步工作。

第二步是構思，也即是運用腦筋，把原有的資料融匯，濾清，像抽絲剝繭似的，把它理出頭緒來。構思期中，最重要的則是整理出一個主題，主題是什麼呢？主題，就是故事體幹中所要表達的一種中心思想，一篇小説，它的形象就是故事中的

人物在活動，如果把一些人物的活動記錄下來，總算達到了寫小說的基本條件之一。但是，構成一篇完整的小說，其中必然包括著一種或多種的問題，比如說，《西廂記》是表現一種婚姻自由的憧憬，《傀儡家庭》是提出了一個婦女問題，這些思想活動，才是每一篇小說的靈魂，也是一篇小說的主題。中國人寫小說，所依憑的是一貫的儒家思想，所以，許多舊小說的主題都在表現尊師重道，敬業樂群，或是尊重倫理、鼓勵泛愛的原則，像貫注更高一點的哲學思想的小說雖有而實在很少；說到憑科學的精神去組織故事，那就更屬罕見了。《福爾摩斯偵探案》，是歐洲以科學思想注入文學的創作，作者柯南道爾抱著對醫學與心理相關聯的精神和認識去塑造福爾摩斯，便使人驚訝於一個具有科學頭腦的小說人物誤為真正的人，這樣的出發，在中國實難找到好例子。

典型與構思

寫小說在構思期中，必須兼顧生活現象與思想本質；個人的活動——個性與群性的活動——典型；情節的變化與糾紛的意義。

構思，是寫小說的最大關鍵。除了構成一個正確的主題之外，還得構成一個或多個的人物典型。然則，典型又是什麼？典型，是群性，也是共通性，未解釋之先，且介紹幾個典型的例子，像魯智深、李逵、賈寶玉、林黛玉等都是經過構思，經過塑造的典型。魯智深包括了義氣、剛耿、勇敢等共通點；李逵包括了魯莽、服從、愚戇的共通點；賈寶玉包括了紈袴氣、

女性化、聰明、泛愛等;林黛玉包括了荏弱、小氣、自卑、自大等。這些典型所構成的人物,因為集合了許多人的優點和弱點,看起來大家都感到親切,所以便成為人人認識的人物,因而,他們的作品便都是成功的。典型是集合許多人的習慣性,特殊性,提煉成為一種共同都存在的「群性」。這些群性,包括每一個人的特徵,習慣——生活的、職業的——糅合於筆底下的人物身上。

　　如果構思成熟,就到執起筆來表達——把既定的人物與事象一一呈現出來,這個呈現的工夫,在安排故事的秩序,寫小說到這一階段,完全是技術時期,因為早已決定故事骨幹和人物的中心思想,這兒,便得講究人物與生活活動中間的糾紛。一篇小說,必備的條件還有這一項「糾紛」,原因是平淡的生活,只有吃飯睡覺,是不能構成小說的。中間必然有對理想的阻撓,對個性的衝突,對生活的擾亂,才完成了一個活動的程序,這兒所須研究的則是無數的糾紛,從哪一個角落呈現出來?呈現的次序又怎樣?而每一個故事,也必須具備一個或多個的高潮,這高潮就是故事發展到表現主題,表現人物激越的衝突的最高峰。完成這一呈現階段,一篇小說便產生出來了。

談短篇小說

　　電視廣播事業發展的今天，許多人都對文學的生存感到懷疑，至少，這種情勢的發展，對小說發展影響深遠。現階段所流行的「短篇小說」，便是一個明徵。戰後世界各國，在報章雜誌上所流行的大部分是短篇小說，日本的雜誌，短篇小說佔百份之七十以上，英國的雜誌，就文學作品中的比率，短篇小說也佔百分之六十強，美國比英國更流行（這個統計的材料是來自日本的文學年鑒的）。我們根據這現象來研究短篇小說之所以流行，主要原因是戰後人們的生活不安寧，時間支配了人類的生活。所以，短篇小說在這樣的時間經濟，腦力經濟的情況下蓬勃了。這是客觀的要求；其次，說到作家本身，戰後的生活仍是普遍不安，擁有世界市場的出版商也沒有更優厚的條件來供應作家去構思更完整，更偉大的作品，而市場畢竟是需要的，於是，在這種情況下作家亦主觀地生產短篇小說了。從大處著眼，這情形對文學本身是沒有什麼損害的。

　　香港是一個勞力廉價的市場，連作家腦力也列入廉價之列，所以，長篇短篇小說的生產都是畸型的，近年雖有大部頭的出品，無奈一般來說，仍是以短篇小說為普遍，香港的讀者百分之八十只懂得接受，只有百分之二十是懂得選擇的。所以，香港的短篇小說也好，長篇小說也好，既來之則安之，讀者是不會怎樣去干預的。

　　這兒，我以為提供文學上的問題給懂得接受，不懂選擇的

朋友去認識，這是必要的。

短篇小說之所以成為短篇小說，並不在乎它的字數是一千字或是一萬字，而在於它的故事的糾葛底情況（當然，故事多字數自然多，故事少字數亦因之而少）。一般的作者拿到了一個題材，並不是在題材本身去決定這是屬於短篇或長篇，卻由作者的需要或者時間與興趣的波動而決定這是短篇或長篇。即使他的決定往往也偶合了，但，有時是長篇的題材而寫了短篇，短篇的題材而寫了長篇。這些現象，都是這一篇作品的先天底缺憾。

短篇小說寫作的基本信條是力求效果集中，服從於效果集中的先決條件是主題明朗；人物簡化；時空適度，這三者便環繞在效果集中的核心底外圍。所謂「效果集中」，就是一切故事的編排、發展、突變、漸變，都要服從既定的效果。我們寫小說，並不是為了製造驚人故事，而是要使一篇小說構成一個足以教育讀者，發揚理性的意象……底作品，既然有了這樣的目標，效果的集中，便是集中到教育讀者，發揚理性的意象……

環繞效果集中的四周，主題的明朗化，是更有效促成一篇小說的感人力量的。雖然說長篇小說與短篇小說都同樣要求主題明朗化，而短篇小說由於故事情節之未能如長篇那樣揮灑自如，所以，主題的提出，在短篇中就顯得更迫切了。說到主題的提出，技巧上是值得商榷的，這兒我們僅提供一個概念，主題始終是由故事來表現的，而不是由作者來道白的，關於主題，以後當找機會談談。

其次是屬於人物的處理，根據一些人的寫作經驗，總是把

故事輪廓擬定之後，便隨意滲雜一些人物進去，這樣的編造，在曲折處交代不清時，不得已又多撞上一兩個人，這樣處理人物，是最不好而且是寫小說的大忌的。我們應該注意的，小說人物，在故事中必須有這人的用場，才可以有這人的出現。人物是為了完成故事的結構而設置，對故事的發展如沒有用途的人物，便是多餘的人物。短篇小說最須要的就是簡化人物，人物的簡化，使多餘的，起不了作用的人物都剔除了，故事自然清明，而簡化到故事中不可少的人物以後，則故事的情節，自然拉緊於有用的人物中心，這種效果集中的手段，是最重要的一種。人物不簡化的毛病，最易使故事鬆懈，糾葛增繁，主題掌握不住，有時且突破原定的故事輪廓，一瀉千里，收不回原來的面目時，整個故事的失敗自是意中事了。

最後的問題，就是時空問題。一般寫小說門檻最精的作家，往往也頂易忽略這一問題，原因是他們只求人物個性的締造，主題的勾稽，這些著力點的思考，便把時間和空間的秩序與久暫放到從屬地位。他們以為時間和空間都是服務於主題和人物的造型上面，只消有人物，他們所存在的地點，可以為了故事的發展而有兩個至多個；時間方面，可以由故事的隨意發展而伸長。可是，這種做法，畢竟是帶有主觀的色彩，在短篇小說的基本工夫已經有了認識上的問題。我們所須要認清的，短篇小說的構成，是截取人生的一個片段，人群社會中間的一個點滴，這「片段」和「點滴」，在時間和空間上面都是有限度的，並不是無限長的。所以，時間和空間的地位，直接決定短篇小說的存在，由於這個原因，故事的面底發展是要減縮到最低限度。而最充份的，最集中的短篇小說卻是點的發展，故

事的組織底時間與空間，都是在點的範圍之內，這一來，短篇小說的技巧便顯出了它底獨特處了。因為面與線愈緊縮，則故事集中於點的糾葛愈具體，故事的牽纏結構也愈嚴密，而效果則愈明朗。短篇小說到底是具有與長篇小說不同的精神所在，這種精神分野就在這時空的「點」上了。

從「才子佳人」說起

　　近代中國小說，人物的創造，以「才子佳人」型式較為普遍，被認為足以代表才子佳人型的小說，除了通俗小說舉不勝舉之外，比較著名的，如《紅樓夢》、《西廂記》、《花月痕》等，都是以這一種人物型式為中心，賈寶玉之於林黛玉、薛寶釵，張生之於鶯鶯……都是如此這般。舊小說幾乎有一個範本，才子必配佳人，才子的「才」，就是吟詩作對，風流自賞，佳人的「佳」，也就難免「沉魚落雁，閉月羞花」了，倒不必她知書識墨。假如佳人能佳到也會吟詩作對，像林黛玉那樣壓倒了賈寶玉，那麼，這個佳人的佳，真是「絕代佳人」了。我們看《西廂記》，發覺崔鶯鶯是比較接近常人的「佳」，儘管有月下酬簡之雅事，其佳卻不在聯詩上面。至於《花月痕》上的韓荷生，所謂才子，乃一落拓書生，所謂佳人，卻是青樓名妓，其間亦有吟詩作對之舉，不過，詩對卻僅在增「佳人」的聲價而已。對於上述的小說人物，我以為都是中國歷史文士所憧憬最佳的女性的代表，在《紅樓夢》，在《西廂記》，在《花月痕》等有成就的作品中表現了它底脫俗的一面。所以，基於相沿成習的這種心理，便產生了文藝革命前後的鴛鴦蝴蝶派小說出來。

　　流傳於通俗小說中的「才子佳人」，相率成了一副刻板化的臉孔，我們發覺有幾點有趣的共通性，那就是在這些作品的筆下，才子必然是富有的。由於佳人憐才，慧眼識英雄，所

以有「後花園相會」,「贈銀三百両」,「上京求名」,「高中狀元」,「奉旨完婚」的傳奇性出現,再而更曲折一點,則難免有惡霸迫婚,「聖旨」及時趕到,有情人終成眷屬。俗文學的人物典型,是存在於中國婚姻制度的不合理的情況之下,太多人遭遇如此憾事,則太多人同具如此願望。這點,對寫作小說的朋友搜索題材,刻畫人物是有很多幫助的。

從「才子佳人」的典型,提示出了一個寫作的捷徑,那就是上述的「願望」。因此,我們可以找到了一個提示:人物的造型,是可以根據大多數人的願望來搜索。

以此時此地的社會背景來說,一般父母對子女的婚姻,都仍具有一種商業的頭腦,尤其是女兒的父母親為甚。今日的聯婚,早已摒除了「才子佳人」的觀念了,繼之而興,則是「財子佳人」。同時,婚姻關係往往又維繫於父母叔伯或其他有關人等的事業與財源的關係上。因此,寫今日的香港為背景的小說,大可以藉著這些現象來採擷資料,以完成人物的造型工作,根據現世紀的頭腦——而配以現世紀的「才子」以科學的精神或勇敢的象徵,這也是一種以願望來達成人物造型的方法之一。

「才子佳人」的產生,是歷來文人的一種願望,此中的寫作精神,又包括了一種借動人的情節以銷胸中塊壘的現象。文士盡多空中樓閣的懸想,往往是由於受現實的奚落所致。「才子佳人」式的人物除了願望之外,還有憤慨作品,以憤慨方式來採摘事象,創造人物,也是促進成功的一條道路。憤慨式的人物,比較上已經接近了現在性的人物典型了。唐·吉訶德,是一個憤慨式的人物,雖然他包括了一份做英雄的願望,然

而，作者就借著這一種畸型的英雄慾來痛罵古今的英雄。忘記了哪一位說過這麼一句話：「世界上的英雄盡癲癇行為。」「才子佳人」的典型在一種憤慨的衝動之下，可以使才子成為才子，佳人卻永遠隨著父兄的作賤才子的行為而有點的跡近報應的沉淪。在極端憤慨的情態下，所以有悲劇的產生，悲劇人物的締造，往往出於憤慨而摸索出它的臉孔，還是一種構思人物的觸發。

才子有時有更多的自負，這個自負是出於他的才情的洋溢，佳人有時也有她底自負處，這自負，是由於她的佳，古人常以「郎才女貌」來對男女的評價。男子重才，有潘安宋玉那麼美，固然更增才子的聲價，但才子，畢竟並不講求美的，佳人可就不然了，佳人即使有才，並不能算是「佳」，她的「佳」，完全維繫於貌。因此，在願望的情態之下可以把才子佳人的典型構成喜劇，在憤慨的情態之下可以將才子佳人的命運構成悲劇，然而，世間卻另有中性人物的存在，他以悲憫的感性挽救故事人物都臻入理想的道路。因此，在悲憫的情感下，人物的造型也可以促成了一種中性的，平和的人物性格，來賦予主角以一種事實上的滿足。《水滸》中有佳人潘金蓮，這是屬於一種可憐人物，為了婚姻的不如意，她大解脫於悲憫的情感之下，她的中段生活在個人來說，是燦爛的，她獲得她所沒有的愛與慾，這是基於悲憫的感情之下所賜予她的生活。在禮教之下，作者也無法挽救她最後的悲劇命運，然而在人物造型的觀念衝動之下，這也可以算做基於願望之下予主角以圓滿的命運。另一種則是與悲憫的情態相反的節制，一個風平浪靜甚至一帆風順的人物要達成造型上的動人，或者寫一個在事業成

功的人物，這種太豐厚的待遇必須加以節制的。這種挫抑，卻是加強人物性格的一種手段，就以才子佳人的典型而言，太順遂的故事而沒有挫抑，太美麗的人生而沒有折磨，則人物的顯現平淡，人物的活動便不突出了。

論偵探小説

一

　　一提起「偵探小說」。免不了使人有「卑之無甚高」之感，這是習慣使然，也是中國文壇之各類作家並未普遍發展和普遍提高每一類作品的境界有以致之。其實，偵探小說本身並沒有什麼值得非議之處，善於運用偵探小說的特性，也未始不是一種良好的教育工具，一如近日來有一般人非議連環圖畫一樣；不止我這麼想，許多人已經埋頭去做了，連環圖畫的壞處並不是因為它是「連環圖畫」，而是因為它沒有好的內容。有了好的內容，連環圖畫該不再是壞的東西了。同樣，有了好的內容。偵探小說也能成為好的東西，所以，我們看偵探小說的地位，必須先行改變固有的觀念，把這種觀念看做和其他的愛情小說也好，心理小說也好，都列為同一的地位，才不失為對文學的一種純正的態度。

　　我國的偵探小說，深入的研究，多少是淵源自武俠小說，最少，也和武俠小說相通，這些現象，已經是近代的了，看遠一點，中國的小說受魏晉間的虛無主義影響最大，當時的小說內容，大部分都是談仙說佛的。後來，在一些文人筆記中引申了下來，作為對一些官吏表彰盛德的記錄，掌握刑名的官吏如何折獄，如何替人民雪冤，故事跡近偵探，但大多數都靠仙

佛指示破案樞紐。這些小說，本不足道，但，我們站在研究立場，也不妨提起，我們所熟悉的偵探小說《包公案》，《施公案》，《彭公案》……都是比較著名的帶有偵探意味的作品，故事中所強調的是這幾個主角如何忠君愛國與他們的賢明，今日的京劇中也流傳不少此中的故事，其中有不少是運用心理攻勢的手段來達成斷獄的目的，像「審郭槐」就是一個例子，利用物理的，像油販失錢，開審時每一聽審者各罰一錢投入水缸，因而判斷了一個沾了油的錢的人是賊，這又是一個例子。這些手段，在偵探小說進步，真正的偵探技術普遍發達的今天，看來是幼稚得令人發笑的，不過，我想這些現象，在民智未通的當日，這已經是太進步的想法了。

我國古代的立法，沒有今天想得那麼週到，所以，官吏處理案件，不會像今日那麼依照民法第幾條，刑法第幾條來處理的，更沒有律師之類去替犯罪的人辯護。所以，當時的犯罪者和官府是站在敵對的地位，犯了罪的人只有兩條途徑可循，第一條路是乖乖地讓官府的差役拘捕，第二條路是起而拒捕，所以，過去的偵探題材沒有誰犯罪，怎樣犯罪的偵查，有的是犯罪的人逃到哪兒去，或使用若干人馬去捕捉正在拒捕的犯人。這些環境造成了偵探小說的本身不能作面的開展。到了現代可有些不同了，由於法律的範圍和人權的申張，官府和犯罪者的地位是相對的，除了現行犯（即搶劫，殺人，在現場上發現的）可以當做敵對者當場拘捕之外，其他像偷竊，欺騙等，雖然明知是某人所為，如沒有確實的人證和物證，也不能當做犯罪而加以拘捕，因此，偵探的行為是由於法治和人權擴展了的國度或社會才感到需要，在這同時，偵探小說的滋長，便應運

而生。

可是，我國至今偵探小説仍是很貧乏，原因無他，這正説明了我國法治的精神仍然不夠，不説有皇帝的時期，就是民國以來，有了新的法律，而審理事件，拘捕犯人，仍然是憑主觀的情感做出發點，像審理謀殺案件，殺人犯在未審之前已經情感地判定了他是犯罪者，拿來和今日香港的法庭比較，相差得太遠了。今日香港的法官，是不許有其他的輿論或個人的好惡來影響未結案前的法官情緒，反觀未審之先已有定案的情況，雖不能説是完全錯誤的判斷，但是，到底這是有偏頗的成份的。然則，在沒有使用偵探技術的場合下，哪能產生像樣的偵探小説呢？

綜合了這些現象，我倒覺得偵探小説和民主政治與人權有密切關係，偵探小説，愈發展的國度，政治制度一定愈完善，人權一定受到絕大的保障；偵探小説愈貧乏的國度，政治一定未上軌道，人權一定受到可憐的壓迫。

二

我國偵探小説的演變，最大的轉捩點是梁啟超所翻譯的小説，那時他介紹了許多日本的有關政治的小説，其中有些是揭發外交界黑幕，帶偵探氣味的小説，晚清小説中受這種影響或敏感地已經有這種趨勢，説明了時代已經蜕化到人權伸張的雛型了。此後，比較大規模地影響到偵探小説的轉變的還是《塊肉餘生記》，《頑童流浪記》的介紹過來，從那時起，使我國人追求外國的法治思想。再後，《福爾摩斯》的介紹，便在中國

的偵探小說中展開了新一頁，使我們得以窺探到世界偵探廣場的一切，更使我們驚覺官吏並不代表安全的統治和萬能，而曉得一個偵探全才的人，在社會上，學術上的地位也幾乎是全能的了。

於是，我們在這種心理狀態之下，很迫切地去理解外國偵探小說的誕生與演變。

歐洲國家是法治比較完善的，因而，偵探的事件也比較早就產生了出來，紀元前二八七年，希臘大科學家亞基米德曾經偵探過一件案件，它的經過是這樣的：西拉古斯的國王赫利翁把黃金交給一個工匠，叫他鑄一頂金冠，後來國王聽說工匠用銀子偷換了一部分金子，可是沒法証明這種行為，還是亞基米德運用了物理的方法，叫人鑄了一頂銀冠和一頂金冠，與那工匠的式樣和重量完全相同，然後先把銀冠浸在一缸水裡，缸的水溢了出來。他又把工匠鑄的金冠浸了下去，溢出的水比較少，再把真金的冠子浸到水裡，盤出的水比上兩次更少。這樣就偵探出了這件欺騙案。這是西歐更早的偵探小說。研究歐洲的偵探小說淵源的人，也樂於道出阿拉伯王子在沙漠追蹤駱駝的故事，他們能判斷駱駝所載的是一邊是糖，一邊是鹽，又判斷出駱駝盲了右眼；因為駱駝跪下的地方，有一邊是有蒼蠅的，而沿途的水草，靠左的已給駱駝吃過，靠右的則絲毫不損。這些故事，也一直被目為偵探小說的淵源，大多數人都相信偵探小說是由沙漠上的追蹤駱駝進而的入城市追蹤人流。十九世紀，巴爾扎克特別愛寫犯罪的人物和社會逐斥的人物。由於工業化改變了都市面貌以後，偵探小說的面底擴展愈來愈廣闊了，科學上的特殊技術納入了偵探小說裡，這是很受人們

歡迎的。《福爾摩斯》在柯南道爾筆下誕生已經一百年了，至今福爾摩斯仍然活在人們的心坎裡，這個最成功的偵探小說人物典型，所處理的案件都是十分離奇而經過很科學的抽絲剝繭般逐一解決。作者憑藉著特有的醫學知識，心理解剖，來寫偵探故事，成功處都不是今人所能比擬的。此後半世紀間，產生了不少偵探案件的典型人物，像魯爾答皮爾（法國作家勒魯所寫的人物），亞森羅蘋（法國作家勒渤郎筆下人物），鬼盜（法國作家馬塞爾‧亞蘭所寫的人物），都在全世界的讀者中有著一定的印象，而故事的本身，並不僅僅為了取悅讀者而已。兩次世界大戰以後，偵探小說曾走入了叢林探險當中，這轉變的原始未嘗不好，但是，有些作家太過迎合有閒階級的胃口，所產生的淫賤小說，便不足道了。這些現象，以東西洋的「黑皮小說」為代表，大多數是犯罪的方法和避罪的技巧，這些小說一流行，社會的混亂自是意中事了。在十九世紀至二十世紀中間，我們所發現的偵探小說的演變，可以兩句話來代替，而就是「內涵相對削弱，數量相對增加」。近期的「黑皮小說」，多數是由於柯南道爾筆下所寫的六十多篇創作中蛻化出來。

　　說到柯南道爾對福爾摩斯的造型，這兒願順筆一提的，福爾摩斯的塑造，人物雖是虛構，事理則是作者本身所擅長與熟悉的，他有一個讀者看來十分笨拙的助手——華生，許多寫小說的人常常誤解華生的地位，以為以一個最愚蠢的人來陪襯一個傑出的人物，這是加強主角的對比法。但是華生在許多件案件中所想出的假定，都是在中人以上的才智，最後還是靠了超人的才智的主角來解決了。這是許多人模仿了柯南道爾的章法之後所發現這一配角的奇跡的。近代世界文學史中，有英國四

大創作人物，這四個人物是羅密歐，魯濱遜，福爾摩斯和《威尼斯商人》中的夏洛兒。偵探小說的主角便佔在一席地，我們在情感上對「偵探小說」的歧視，看到這些事實，便應該有所改變的，皮爾遜所著的《柯南道爾的生平和藝術》一書，裡面道出了福爾摩斯命名的原因，是為了紀念一位他最敬愛而一直未獲謀面的美國散文作家福爾摩斯（O. V. Holmes）。西方文壇在福爾摩斯的同時，曾湧現了不少類似的典型小說人物，其中較著名的有：（一）摩理遜第一個摹擬福爾斯的人物「馬丁」；（二）柯克瑞的閉門家裡坐而憑轉述破案的「屋角老人」；（三）英國作家契斯德頓的第一位偵探神父「勃郎神父」；（四）勒勃朗的「亞森羅蘋」；（五）佛里門的「桑達克」；（六）伊爾斯的「謀殺心理」；（七）珍格威爾的「巨弓奇案」；（八）范達痕的「貝森」；（九）海密德的「馬爾泰之鷹」；（十）克麗斯汀的「包羅德」；（十一）奎寧的「冒險史」自述；（十二）勃拉瑪的「盲偵探」；（十三）麥克哈格和巴瑪合著的「德氏的功蹟」；（十四）克羅夫茨的「法侖奇警長」。這一連串的小說人物，大都是由於柯南道爾筆下的福爾摩斯而觸發產生的，開創了歐洲偵探小說的新頁。柯南道爾逝世後，「凡士」，「奎寧」，「包羅德」，「桑達克」，都有繼承福爾斯的地位的爭辯於歐洲偵探小說界中，目前有人致力翻譯到香港來的則以「包羅德」最流行。柯南道爾的兒子阿里安‧柯南道爾，和英國的偵探小說作家卡爾按照他父親所寫出來的題目而未動筆的一一續寫，寫成的有《七口時鐘的冒險》及《淘金者的冒險》等，現在仍有作品在美國的《柯里爾》雜誌發表。可是，許多文藝界的人批評都表示已失去原來福爾摩斯的神貌，加上讀者的固有印象，難

免把福爾摩斯看成一百歲的老頭子，效果就大有不同了。記得一九五一年倫敦的培克街二二一號 B（小說中福爾摩斯的居所）開放了任人參觀，也收了七千二百美元的入門票，那些參觀的人還言之鑿鑿地指出華生曾經在這個房子，福爾摩斯又曾住過這個房子，而觀眾當著柯南道爾後人否認「福爾摩斯」真有其人時，還極力指証他的謬誤。可見這個人物造型的成功。

歐陸的現象是如此，而人們常常由於蘇格蘭場偵探事業的進步而聯想到偵探小說，但是，最早出現的偵探小說卻是十九世紀的詩人愛倫坡（Edgar Allen Poe），詩，小說，散文都同樣擅長，他想像力的豐富和生活學問的充份理解，造成了他的天才，橫溢在象徵派的小說上面。他是留學英國的，也許由於倫敦的霧氣所籠罩，使他對事物的描繪都能掀起神秘感，當他完成了〈金甲蟲〉、〈黑貓〉等幾篇緊張而又恐怖，緊扣讀者心弦的小說之後，他的技巧便充份顯露在佈局上了，由於他這一類從心理出發，而解釋神秘感的作品，造成了後來偵探小說的契機。愛倫坡生平也像偵探小說那麼緊湊，蕭伯納曾說過他是「最精彩最精彩的作家」。和愛倫坡同時的還有神秘作家柯林斯，他以《白衣婦人》一書成名，故事是從一個月夜發現一聲尖叫，一個白衣婦人在陰影中消失。他是一個精通技巧的大師，擅長於情節的佈置，他和英國作家狄更斯是好朋友，狄更斯批評他的作品情節太多，個性太少，而教他以人情代替恐怖，後來，他的《月光石》成為英國第一部「最長最好的偵探小說」。

三

「偵探小說」畢竟是和「愛情小說」，「探險小說」，而至「問題小說」平等的，功罪問題並不能強限於分類上，只能從個別的功夫來看它的好壞，因此，我相信「偵探小說」也是值得對文學看重的人，有研究的人，都應該注視這一部門的寫作技巧。這類作品，有些對文學要求過高的人，認為足以影響社會人心走向罪惡方面的東西。有些人則以為是鍛鍊讀者智慧的讀物。其實，這些道理，各有其是，也各有其非。問題完全在作品本身的表現罷了。

偵探小說，比較高一點的是從「犯罪心理」上面出發，憑藉著文學上所謂「氣氛」，而適應了情節的進展。所以，偵探小說的作者在佈局的時候，自我的情緒是相當痛苦的。作者必須先把握了值得偵探的假想，然後才從這個焦點去開拓整個故事的佈局。再然後，又要構思一個「偵探」的立體；這是人物。

然而，近年來的偵探小說，轉向著都市病態的狀況下發展，這是很不好的現象。當然，偵探小說的題材，由於寫作者的普遍採擷，往往陷入無題材可寫的情勢。結果，便不得不從一般性的犯罪案件的表面著手，完全用全副精神，去刻畫一個大偵探的機智，結論是偵探方面，畢竟獲得勝利，而犯罪者到底是失敗的。這種方式，直覺上是表彰社會的光明面，壓抑社會的黑暗面，但在寫作的情趣上，就不得不把那些為偵探所獵取的對象——強盜竊賊，甚而拐帶的人販子，紅丸白麵的走私者等，以特寫的方式，強調歹人們也有一套盜竊，走私的週密設計。而這些設計，更往往給一般的人認為是紙上談兵，實際

卻觸發了強盜與走私者的新技巧，這，與其説對社會上的陰暗面有所壓抑，毋寧説對陰暗面有所提示來得切當。

不過，話又得説回來，都會裡的犯罪案件與偵探小説的昇華點，亦不能説沒有達到水平線以上的題材。我以為寫偵探小説的作者，在選擇題材上面，應該避免能夠啟迪罪惡的機智這方面，多從人類的犯罪心理與變態心理上取材，能夠這樣，上乘的作品，便不難產生。

偵探小説的成功作品，據個人所研究，是成功於「三度空間」的掌握，所謂「三度空間」就是心理的空間，物理的空間和時間的空間。心理的空間最為微妙，這是在心理上導上惶惑的境地，從而操縱全局，外國作品以愛情而夾雜在繼承權中間為多，這種方式，是以混亂恐怖的環境而達成圈套驅使主角落入預定的心理空間。物理空間就是利用物理所產生的變像來達成一宗偵查或欺騙的行為。時間的空間，表現得最多的還是外國的警匪大戰的電影，像一些械劫銀行保險庫的匪幫，明知庫內到處有警鈴，但他們計算了精密的時間，由銀行與警署的距離警車所需的時間，再而至警察由正門而入，經過多重早已關閉的門戶而至保險室的時間，他們卻在相距一分鐘裡從窗戶越出，飛車逃走，直到警察出到大門開車追趕時，因繞道的遲緩，早已逃去無蹤了，這時間的空間在讀者的胃納中是要比較歡迎的。

正如狄更斯對柯林斯的批評「情節太多，個性太少」一樣，我們要研究或者進行偵探小説的寫作，是有放手多些去締造個情節的必要了。一般來説，偵探小説的寫作，方法就十分簡單，主要是先佈疑陣，先把所有的焦點移開，讓假的焦點存

在，這些假的焦點存在得合乎常理之上，即是高於常人一等的智力才能揭破這假焦點，但是揭破了，根本與主題無關。然後，由作者逐一就心理，物理，時間的多角來配合，完全解釋出一個真焦點。本來，偵探小說寫作的程序就是如此而已，不過，佈置得巧妙高超，則不是那麼簡單了。普通的寫愛情與事業衝突的小說的人，只具備了多一點的人生經驗，社交常識，生活上必然遇到的事物底知識已經足夠了。但是，寫偵探小說的知識並不就此為止，比如你要寫犯罪的小說，你必須瞭解到犯罪的心理，犯罪的方式，犯罪者在法理上的避罪可能，在物理上的避罪可能，這些最低限度，必備知識缺少了一點，便不能好好地把故事安排得巧妙，這該是必然的了。

偵探小說的旨趣方面，卻又關乎教育的效果的。我們多數人在情感上攻擊偵探小說，無非是因為它在多數的場合中啟發了犯罪的技術，所以，我們今日要執起筆來寫偵探小說，應該在這一方面避免，減少反面的技巧顯露。上乘的偵探小說，我以為他不光是為了炫耀主人翁的驚人想像力，同時，還得對當前的社會問題，倫理問題與及其他各項與人生有關之問題有著緊密的鍼砭，所以，我們敢於相信偵探小說的本身價值並不會低於一般的小說就是這個原因。

屬於心理分裂，人格分裂，精神分裂等作品，又是跨前一步的偵探作品，二次大戰以後所產生的這些類型作品頗多接近偵探氣氛的，有一篇恐懼戰爭的人發現了一個木匠和一個鐵匠在晚上靜靜地工作，便神經過敏地以為他在製造秘密武器，在多次偵察之下，果然發現許多可疑點，因而告知政府的情報機構，勞師動眾，而至運用到多個國家合作來破案。結果，這

不過是一個造木箱的匠人而已，這故事跡近於偵探間諜小說，而又諷刺了那些致力於秘密警察國家的心勞日拙的滑稽行為，與及抨擊干預人權的可惡舉動。像這一類作品，它的作用、效果，一定會比那些以強盜對付偵探的啟導黑暗面的作品來得高明的。

　　近年來，中國也逐漸產生一些好的帶有偵探間諜氣息的小說，這現象，多少鼓舞了中國文壇的生機，但是，中國一直在戰亂，太多的英雄慾的人當政，不能讓中國政治上軌道，不讓人權獲得適當保障，因此，偵探小說仍然沒有更佳的滋長的環境，這，不但是文壇的可悲，而也是人權的可悲呢。

小說的概念

　　讀小說的人與寫小說的人中間有著一些兒歧見；同樣的，小說的概念在一些目為它是「文學創作」項目之一的人與及單純地認識小說就是小說的人，這個概念，也有著它底歧異之處。所以，我們今日要談小說的概念，著墨之先，必須整理出所存在著相異者的歧見。

　　讀的人與寫小說的人，這兩者之間，對小說的認識是以為小說就是一個極端曲折的，令人意想不到的故事，把這個極端曲折，一般人意想不到的故事演成文字，這就是小說。本來，這個觀念在小說演進底形態中也佔有一席地的，中國小說是導源於仙佛的憧憬而演成神話故事，外國的小說最先在史詩中已潛伏了形態，這些形態，同樣是一些不可能產生在現實生活中的神話。東西洋文學的演進，在形態上是一致的，東西洋的小說概念是一致的。所以，小說是荒誕不經的故事，在這一種人的心目中生了根，原是沒有什麼錯誤的地方。所不同的，這是文學革命以前的基本概念。以前，小說就是奇怪的，現實生活不可能發生的事情，它的本身，在某一個時期中曾發現了具備著一些兒宣揚宗教的主題。同時，亦偶然巧合地有些存在著家庭倫理的主題，其實，那些演述小說的人到底有沒有拿穩一個主題來做他們的寫作底出發點呢？這，應該是一個大大的疑問了。話得說回頭，讀小說和寫小說的人抓緊這個概念，根本沒有什麼錯誤點，問題卻是我們文學的進步已經把現在的小說觀

念和當時的小說觀念拉得很遠，因此，我們不能說寫小說和讀小說的人把小說看做「奇談」是錯誤的，只能說過這是落後的觀念而已。這兒已經是初步的小說辯證。

我們祖先的文學遺產中，至今仍為文學部門中承認為最佳作品的，具備代表性的如《紅樓夢》、《水滸傳》等，如果分析起來，我們也不能不承認它是有著很嚴謹的寫作中心和表現方式。但是，我們不能忽略，中國自有小說以來，由魏晉期間的神仙故事始，其間的作品實不知恆河沙數，失傳的固不必談，留傳下來的為數也不少。我們所讀過的神仙故事如《山海經》、《穆天子傳》等，他們所表現的主題是十分模糊，當然，這種看法是我們處在二十世紀的目光的看法，如果移目光到當時，也許可以斷定他們的寫作並不是無聊到只是談些《拍案驚奇》的故事而已的。我們仔細地反覆尋味，如果說那些故事是有主題的話，可以說這些主題是在宣揚仙佛的法力，又可以說，這些小說，正是一種仙佛的宣傳品，寫到這兒，頓使我們所習慣地被蒙蔽在文學天地的視界發現了宗教的血緣。我們今天常常在教堂或教堂的附近收到一些熱心男女所派發的有關耶和華的宣傳品，那些宣傳品上有「信主」的故事，也有詩歌戲劇，雖然我們研究文學的人早就覺得宗教宣傳的作品落後於現有的文學作品，而我們實在不能不相信許多文學作品是由他們啟迪出來的。由於科學技術的進步，宇宙觀的擴拓擊破了固有的宗教底天堂地獄的形象底存在。因之，文學以神、天堂、地獄作為主題的，無形中被目為落伍甚至已經不成為主題了，這種解釋，未嘗不可以當作當時的仙佛故事之成立為完整小說形式的辯護。

小說而必須賦予正確的主題，是近代文學批評界所下的定義，我們所能承認於古代的，是那些仙佛故事底主題是基於宗教以內的觀點而形成的，今日的觀念，盡可以不承認其為主題。這現象，使我們聯想藝術性的存在底久暫的問題，一般對藝術的估價，是有它的存在底時間和空間的位置而定，以文學作品來說，能存在於任何時空的，這作品便是偉大的作品，不能存在於任何時空的，它的價值，也就因之而縮小。這裡所謂能夠存在的，乃是作品中主題所顯示的價值，因此，宗教文學在我們的信念中是能普遍的，這兒，也就難免令人對仙佛故事被否定其主題的存在了。

　　中國舊小說幾乎有一個共同的主題（如果說「主題」早已存在於中國歷代小說中的話），那就是凡神話的，必然是勸善的，小說所表現的，完全是符合於因果律的印證，千百年來不移。直至晚清，士大夫們相率仿效西洋，文學作品免不了亦受到相當影響，因此而知道小說的存在，並不僅限於因果律的印証而已，甚而至成一家言，亦有藉小說以詮達的，至於譏諷時政、啟導思潮，小說的功用已超越了供有閒者消遣以外了。這是站在文學部門所能看到的一面，當然，這一種看法，亦不僅是致力文藝工作的人所單獨進行的概念，而是一般有意促進文明的人士所共同期望的一種文學形式的表現。

　　但是，舊的概念依然存在，這個概念，就是小說即曲折離奇的故事。因為中國是貧乏的國度，連年征戰，人民沒有休養生息的機會，出版事業也沒有更安定的培養作品的環境，相因相乘，小說的欣賞角度和能力都凝滯在固有的圍圈。小說界中的「遺老」、「遺少」，他們仍抱著寫小說即是寫故事的態度，

只求故事動人，不計故事本身所產生的效果，他們服膺古老遺傳下來的一句「小說家言」的話，認為這是「負鼓盲翁」的事業，把小說的地位看得低了一等，因此，「高一等」的文士自然犯不著付出太多的氣力來幹這門勾當了。這些現象，是較早期的現象。這些日子，為說故事而寫小說的人底創作，它的原因又有不同，因為文學的聲價與以前「小說家言」有許多不同了，稍有點文學常識的人都嘗試著小說的創作。一方面，有些人根本掌握不住一個故事的中心意識，一方面，有些人根本不曾理解到作品是需要什麼主題，什麼中心。同時，由於報紙雜誌的普遍化，出版印刷的方便，小說的創作，便因量的需求增大而影響到質的薄弱，尤其是一些文人慣於在報紙上逐天演述故事，為了構思故事的曲折，不惜歪曲了現實，只求表現的手段達到出人意表，不顧對社會，對讀者所發生若何的不良影響，這現象的存在，是支持小說即是離奇故事的支柱。這一類型的讀者，他們也無視於小說對人類社會有什麼影響，他們所渴求的，是故事能否在他們的閱讀過程中產生快感，其他，也就無暇去追尋了。寫故事的人有存在，讀故事的人也自然有存在，相反的，讀故事的人經常要求於故事的需要，寫故事的人便自然而然的去適應這需要而製造故事。從此，「小說」的概念便永遠維持著「說故事」的影子。

從這許多事實的羅列中，我們可以看清楚此中的概念存在的背景。我們進一步從這許多的背景，事實與論據中，擷取了一個圓滿的概念來，以解釋一個更完整的小說底概念。

問題的提出，是要從論證中引申出來的，上述所縷述的有兩個行為的概念，就是：A，小說即是曲折離奇的故事；B，

小說是文藝創作的一個項目，它的概念是包括了一個完整的故事，通過所要表達的主題而完成的一篇表達故事兼主題的作品。從這裡，我們可以明顯地看出，A 項所提出的概念，僅僅是文藝創作項目之一的「小說」底基本原素的一個小點而已。一件故事等於製麵包的麵糰，主題等於麵包中間的餡，製什麼麵包，用什麼餡，結構是水，製成品的品質如何，便得看麵包師的技術了。相信一個故事就是小說的人，也猶之乎相信一團麵就是麵包的人一樣，無疑的，它是可以成為麵包，但是它不可能成為叉燒包或蓮蓉包，固為它的中間沒有叉燒或蓮蓉，所以它無法較叉燒包或蓮蓉包更完整。

關於歷史小說

　　小說的創作，它的嚴肅面是在完成教育的意義，其所發生作用的地方，不在辭藻和技巧的矯飾，主要是在故事本身的表現。辭藻的作用是陪襯氣氛，使它更接近真和更接近美，技巧是完成故事的力量，憑著這一些力量去安排故事的上演秩序，故事的安排裝飾，都列入技術的問題之內，故事的擷拾和提煉，才是決定品質的樞紐。今日的小說，題材的選取，前人的捷足先登，後人的憑機觸發，往往把一般中人之資所能思維的故事素材都運用淨盡了，作家們便不得不另闢蹊徑，轉向於民間故事和歷史故事方面去選材。中國民間和歷史有更豐富的題材，前人雖偶有筆記形式的敘述，仍嫌未夠痛快淋漓，並且其所表現的角度，描繪的方面，都嫌未符今人的道德信念或行為信念的標準，至於故事締結的完整化，亦相距過遠。所以，歷史小說的產生，歷史小說本身的主觀上，和歷史小說以外的客觀上都感到迫切需要。

　　歷史小說在海外，對於僑胞，是一門認識中國的捷徑，尤其是對於距離本土過遠，所有典籍都不易找到的小埠最感需要。歷史小說不同於正史之處，就是它容許超越史實，容許作家去「想當然」，而發揮歷史人物的性格。我們今日在文藝的需求上，似乎應展開一個認識中國運動，因為祖國文化正陷在淪喪絕滅的邊沿，尤其是中華民族的性格為甚。負起這門工作的，我們不能要求散文或詩歌，原因是散文或詩歌所表現的過

於抽象，未能作形象的勾劃，無法圓滿地傳達一個較典型的精神給遠處域外的華僑社會，唯一能圓滿負起此一責任的，當是小說的形象勾劃。尤其是歷史小說，是可以把固有的典型，作痛快的敷序。我們研究歷史小說，倒不妨分為兩個範圍來看：第一、歷史典型故事──這是以歷史上足以代表一個時代的典型事件，構成以故事為主，人物的造像雖仍重典型的雕塑，但均在達成典型故事而著墨的，像烽火戲諸侯、原璧歸趙等都屬此一類型。第二、歷史典型人物──這是以歷史上足以代表一種典範的人物，構成以人物為主，故事的結構雖仍重在組織嚴謹，而完全在為表達為塑造主角人物的典型而著墨的，像歷史上的岳飛、關雲長、梁紅玉等都屬於此一類型。

　　歷史小說的經營，儘管作家們把它區別於正史，以為在故事的描寫和內容的敷排之上可以放寬一點，其實這見解也不盡然。當然，我們無必要重述掌故，因為重述掌故是一種無聊而又浪費筆墨的行為，但在並不重述掌故的原則下，如果放縱地脫離史實上的精神意義在製造故事，即使寫出來的片段如何動人，這些都不能算做正確的歷史小說路線。我們要使歷史小說更能表達歷史的意義，表彰社會性或個性，則人的行為和事的變動，都不能忽略某一個朝代的特殊環境、特殊意象的限制。所以，歷史小說必須具備的是史家的精神、作家的筆觸。每一個朝代都有他們的特定法例、服飾和語言的限度，如果出了這個範圍，「歷史」兩字的意義便完全消失了。比如說，在屯田制的朝代，如果寫出了別一種制度與屯田制相反的，這樣的歷史小說便無法成立；又比如某一朝代是留長辮子的，如果寫出了披髮散肩，那又是笑話了；其他語言的限度也十

分重要，其中尤以成語的運用為甚。有些朝代，根本沒有那麼一句成語，如果也安排進去作為故事中人物談話的資料，則它的「歷史」意義便感到十二分的稀薄了。這些立論，還是在較浮淺的一面，更重要的，還是人物的精神、故事的精神配合時代的精神。這是必須精研歷史才可以解決的，中國歷史上的各個朝代，都有特定的精神表現，其間以儒家的精神佔據更多的空間。某些朝代，崇尚武功，大興撻伐，某些朝代，卻講究詞章，某些朝代，又為理學家的天下，他們的個別精神，是不能以千篇一律的筆法代替，而必須加以考證、研究，務求達到所寫的時代、所寫的人物均符合這些朝代的特質始算做基本上的圓滿。此外，我們還有一項感覺為難的，就是原故事典型或原人物典型的重新估價。家傳戶喻的《三國演義》，稱得上歷史小說，其中如關雲長、諸葛亮、貂蟬，都是歷史小說家所喜歡擷拾的題材。這些人物的描寫，多數人都習慣於固有小說的造型現象，同時把這些人物的行徑看得幾乎是神化了的超人，像關雲長玉泉山顯聖的一幕，簡值把他死後成神的一段故事衍成了真有其「神」的現象，而諸葛亮亦有穿上八卦道袍，在壇上請東風的神話。這種情況，或較這種情況稍輕淡一點的，都是今日歷史小說所應重新估價的地方。我們所處的態度不同於寫神話，寫神話的時候因為先有了神話的前提，所以它不必避忌那些不可能的行為，它正像是小說的卡通，而歷史小說則必須在性格、行為、能力都納入「人化」的軌跡，才不致做現代小說的叛徒。對於「歷史小說」，我個人的感覺是：（一）它的優點，在提醒對於史實生疏的人重新認識歷史，因為這是帶有趣味的、文學的力量，但是，它不是歷史，只能是「引起」對歷

史的認識底興趣而已，它的副作用便是造成了一種對文化或文明的接受。（二）歷史小說是不應從固有的傳說，固有的造型去複印的，故事和人物，都必須要有更完整的小說結構形式，賦予人物以應有的性格。（三）一般的歷史小說，其毛病在於舊文新寫，短文長寫，所伸長的、所翻新的，在「歷史」的意義上完全是漠不相關的加插了「文藝腔」，把現代的生活方式也搬進古人的生活秩序中，而造成了不尷不尬的現象。（四）近代文人寫歷史小說，遠一點的如魯迅、郁達夫、郭沫若，近一點如南宮搏、忽庵、南山燕，都共同持有一種他們自己所信仰的或所希望的中心意識。這些人，做到了並不抄襲歷史，但其中偶然卻有「強姦歷史」的現象，像「潘金蓮」的重寫，「革命」的才子把潘金蓮拉過來變成了同志，說她如何反封建，抗拒當日的婚姻制度，而歌頌她和西門慶的勾搭，其實，潘金蓮所仰慕的西門大官人的財和勢，是否也合乎人類的戀愛觀！這是頗成問題的，所以估價是必須的，而憑各自的信仰而強古人（或舊小說典型）以從我們的觀念，又是今日歷史小說的一個黑影。

向宗教挑戰的　科學預言小說

　　隨著時代的變易，文學的趨勢也不住在變，小說的類型也在變動的局勢下增添了不少新的內容，文人有時在思念固有的題材，以節省構思之勞，但是，新的事物也同樣容易觸發新的靈感。二十世紀以來，憧憬看未來歲月的小說頗多，推前一點，尤以航海探險時期的憧憬更能誘發不少小說的資料，所以，憑智力推測而虛構的「未來世界」，或「香格里拉」等，題材的擴展，是不限於現實生活以內的事故的。因而有預言小說或科學小說的產生，近一點是航空的發展，太空的探險又代替了航海時代，文學上的刻畫底視野，便更見寬廣了。遠在一八六五年，法國小說家味恩（編者按：即 Jules Gabriel Verne，今通譯凡爾納），便寫下了第一部科學小說《由地球至月球》（編者按：即 *De la Terre à la Lune*），兩年後，又寫了一部《環遊月球》（編者按：即 *Autour de la Lune*），內容是從地球的一切去推想月球，其中具備了科學的推理，為後來的小說開闢了新的道路。這兩年來，天界航行已經在做著準備工作，科學小說的誕生，當更饒科學的趣味，而不像往昔那樣佔有了太多的虛構成份。最近科學小說曾有幾部拍成電影的，都以火星探險為對象，其中所描寫的字宙飛行人類身體上生理上所受的壓力和變化，都是近代科學家所研究出的結果，這類小說，正是促進文明的更佳手法之一。

　　科學小說本來和一般的小說沒有什麼分別的，它也需要

更好的主題，又需要嚴謹的結構。像英國著名的小說家威爾斯（編者按：即 H. G. Wells）所描寫的《宇宙戰爭》（編者按：即 *War of the Worlds*）、《第一個到月球裡的人》（編者按：即 *The First Men In The Moon*）、《時間機器》（編者按：即 *The Time Machine*）等書，除了說明了科學事實之外，還刻畫著不同星體的人物個性，運用著宇宙間的矛盾來結構小說的內容，它並不是累積一大串的科學難題來進行說教的。科學小說的進展，使人想像到未來的途程，正展開了一場對靈學或宗教的挑戰，在地球上所有的宗教如基督、天主、佛教、伊斯蘭教，他所處的出發點，仍是以地球為宇宙中心，如果天際航行的難題解決，人類的宇宙觀和宗教觀，甚至道德觀，都直接間接受到影響。宇宙的創造，在宗教是毫不猶豫地居功著的，可是，天界航行的解決，無形中走近了瞭解宇宙創造的一步，那時，宗教家的天堂、地獄的假設破產，人類的新道德觀念、新宇宙觀念，便都是科學小說筆觸之下的產品了。我覺得最值稱道的就是那一部《火星探險》，它指出了科學與靈學的衝突，它描寫一個在天際飛行途中的科學家忽然感到勇氣完全喪失，原因是他不敢窺探宇宙的秘奧。他以為宇宙的秘奧是上帝的安排，地面以外，要不是天堂，就是地獄。在這途程上，他是如此地發著癲癎似的到了火星，完成了窺探上帝「禁區」的工作。這篇小說的主題，簡直是向宗教作正面的挑戰。這正是今日科學小說，最新的觀念。至於我們回憶十八、十九世紀所創作的科學小說，卻又覺得另有一種味況：一八一八年，廿一歲的英國女小說家，雪萊夫人寫的《法蘭根斯坦》，是說一個機器人的故事，本書的主人翁製造了一個機器人，並賦予牠以生命，後來

這怪物竟然加害於這個創造牠的人，這個故事分明是諷刺著人類的通病。同這個小說同一旨趣的還有著名的偵探小說家柯南道爾所寫的《亡失了的世界》和《毒腰帶》，最具科學意味，不過，這兩書所寫的主題仍是針對著人類的情性而痛下針砭的，科學部分不過是增加氣氛而已——這，該是今日致力於小說創作的人不可忽視的另一條創作的蹊徑。

今日小說最新途徑　性格的發現

　　小說的演變，我們似乎可以找出了它所變的路線，我們試一默想，小說在最初定型的時候所導源於神話的，該是以故事為重，那時的文人並沒有「創作」的觀念，他們不過抱持著遊戲的心情來紀錄罷了；這之後，文人自覺地曉得這是一種表達胸中鬱結的方式之一，因而進一步有以結構為重的產生，故事的作用不過是為達成結構的力量而已，這又成為一個階段；直到近代，在中國，像《水滸》一百零八人的型格，大觀園中的紅男綠女型格，在外國，像莎樂美，羅蜜歐，朱麗葉等型格，小說家又跨前一步在以創造人物為主，他們必須求取創造在人群中的突出典型，這些典型的塑造，無疑地需要故事來敷排出「型」的影子，需要結構來完成「象」的秩序，但是焦點放在人物之上，這是近代小說的一個顯著進步。可是，今日的小說，對於人物的造像雖仍不可忽略，而人物造像已經不是重要的焦點，人物造像也像從前的故事和結構一樣，退居到從屬的地位，今日的小說，正踏上性格的發現的道路。

　　我們冷靜去理解一下，自然不會以為人物造像和性格發現有什麼混亂之處，性格的發現是人物塑造以外的一種重大工程。近代小說的人物典型，在我們所習慣的分解中，很有限的可以指出若干個固定的典格，如：英雄的、假英雄的、情痴的、不情的、小丑的、懦弱的、虛偽的、性善的……無論如何，儘管我所列舉的未足十分之一，而它的典型始終是有限

的。我們以無窮的思慮來局限於這有限的型格中，對於藝術的創造，是十分侷促的。所以，現代小說家已有不少人突破了這道藩籬，去開拓新的天地。於是，描寫性格、心理的小說正是今日作家所不斷致力的工作，同時，也是現代作家從實踐中所探索出來的道理。「性格的發現」，是藝術創造的最高峰，現代的作家如海明威的《老人與海》，就是一個例子，它已經超越過人物典型的塑造之外，踏入了一個新的階段。海明威所寫的三樣東西：海、魚、老人，他憑這三樣東西把人生觀發展到最高峰，他簡明地闡釋了生命的基本鬥爭——以勇氣，個性和良知，向不可征服的自然抗爭。這兒所表現的，已不是一個人物典型的問題，而是新興的國度所依存著的一種特有性格的問題。更明顯一點的例子還有風魔了世界文壇的新興作家莎崗女士（編者按：即 Françoise Quoirez）的《日安·憂鬱》（編者按：即 *Bonjour tristesse*），這本書的故事發展，完全環繞在一種被發現的特有情緒中間，這些行為的衝發力，是由於一種隱伏在潛意識底下的情緒：故事中的女主角，就是因為具有這種強烈的情緒而產生憎恨和嫉忌。在心理學上，稱這種情結為「伊力特拉情結」（編者按：即 Electra Complex），是女兒對父親潛蘊有肉慾成份的愛，由此生出對母親的妒嫉；這種愛和另一種「奧狄帕斯情結」（編者按：即 Oedipus Complex），即是兒子愛母親憎父親的心理的愛，同樣是人人所共有的，所不同的或由於禮教，或由於環境而壓抑或昇華到潛意識中去。但是，它會在適度的環境中浮現。這是一個更明顯的性格發現的例子。

今日的小說，無可否認地應朝著新的漸變頻率走，因為這一個世代，已不是英雄型格、淑女型格、小丑型格與更多的型

格所可包羅的了。它隨著思想和科學的文明前路並行，思想文明所開拓的境界，是可以自如地運用腦力去分析像游絲似的微小心理波動，把深陷在靈的淵遠處的潛意識掏回一絲一縷的，整理出它所影響和支配著的行為波動。在過去，我們曾聽說過尼羅的輕微衝動，羅馬城就變了廢墟；拿破崙的輕微衝動，把整部歐洲歷史改換了面目。這些輕微的衝動，是浮在表面上的意識趨向所無法尋覓或無法解釋的，但，在輕輕地顫動一下之後，所產生的「情結」，便完全不同了。這些性格的發現，不止幫助了人類互相理解，還幫助了教育的進行，幫助了思想的整理……當然，再多演繹未免要流於功利性的迂腐。但以今日的小說來講，我以為這就是我們今日應走的最新路子。這是小說的漸變頻率在不斷的實踐中所產生的最佳發現。

現代小説的定義和起源

　　「現代小説」這四個字，説起來頗有難於著墨之感：有些人以為這是泛指近三十年（完全指中國）所產生的小説，不論它的取材如何，總之統屬於這一段時間之內的，便可稱為「現代小説」；有些人卻在內容上做界説，他們著重小説的組織、表達和效果，但凡此中的內容達成了「現代化」的目的，便可稱為「現代小説」；此外，還有人主張凡是西歐流傳過來的小説方式——包括鬥劍、探險、貴族平民之間的戀愛等描寫的，才是「現代小説」。這許多種定義的區分，在閱讀小説的人看來都是無關宏旨的；不過，研究文學的，進行欣賞和創作的，對於這瑣碎的定義必須懂得，不然，關於近代作品的變遷和作品內容的區分，是無法瞭解的。然則，在上述的三種看法中，我們到底應採何種看法才算正確？這兒，正是我們在定義上必須弄清楚的地方。

　　我們看「現代小説」，似乎三者都須兼有，才覺圓滿。中國小説的歷史；前人曾有詳細的整理，並且指出小説的形成，由於魏晉時期崇尚清談，更以佛學傳入中國，而相匯納，乃有神仙故事的產生，這種感覺，是文學上的「進化論」最具統一性的典型。中國之有神話，由來已久，它的流傳，是從人們的口中傳播，直到魏晉時期文士尚清談的風氣，而把流傳的故事形諸於筆，再由佛教的思想沖激，刺激了浪漫的幻覺，同時與本國的道家思想碰頭，個人的感覺超越了宗教（其中有藐視或

譏笑或尊崇或批判的不同成份），神仙佛祖的故事隨即產生。
而外國最古的小說，像具有豐富的故事性的荷馬史詩《伊里阿
特》、《奧德賽》與及其他的希臘神話，其導源和演變，東方與
西方的道路幾乎是一致的。此後進入中世紀，一些宮廷的淫靡
故事、暴君的故事差不多都聯繫到社會的變遷和王朝的興亡，
東西的區別也沒有太多距離。這一個轉變的相通，使我們相信
小說問題（也可以放大說作文學問題）它的空間的界限存在得
十分渺小的。話題轉入到「現代小說」方面，我們可以理解得
到的是西歐的影響力敦促了中國小說走上現代化的道路；而不
是中國小說本身並不走現代化的路，中國小說走上現代化的途
程，它的活力是遲緩的，但已先於西歐小說的東來。這現象，
是始於「鍼砭時政」的小說。由於這個原則，我們可以舉出像
劉鶚的《老殘遊記》、曾孟樸的《孽海花》、林紓的《金陵秋》、
《巾幗陽秋》進而至蘇曼殊的《斷鴻零雁記》等，都有了現代
小說的趨向，因為這種趨向，是抱持著一種現代化的理想或現
代化的形式的內涵；因此，我們又可看到小說的進步的一面。
從這多種稍偏一面的定義，我們可以覺察到每一種單獨的見解
都不能成立為解釋「現代小說」的圓滿意義，最圓滿的辦法，
當是綜合上面所列舉的，而融匯一氣，以作為「現代小說」的
解釋，這裡，我們試作如下的解說：「現代小說，在時間上，
是『五四』文學革命以後所致力的文學部門的一種；在內容
上，摒除了舊有的隨感性的故事，而加以現代生活、現代思維
的衡量和開導的意義；在形式上，摒除了舊有的章回體裁、單
線進行體裁，而滲進了縱橫面的開展和新語彙的注入、多線進
行的體裁。」這個定義的解釋，把「西歐小說方式」這個名稱

輕輕略掉，原因是文學在地域的界說儘管有形式的差異，卻無精神的差異，所以這種東和西的介入是沒有必要的。

小說在新文學運動以後的趨勢，已經明顯地踏入了一個新的階段，這個階段，告訴了我們文學是關聯到廣大群眾的事情。梁啟超論新小說，已經很明白地把小說關聯到社會、政治、文化的各種因素，而掀起了一個文學上的轉變高潮的五四新文藝運動，其所持的目標，亦在與群眾發生聯繫為最高鵠的。是以，新小說的第一步，是走上平易淺近的道路，它的首一步驟，乃在改革文體，以完成與多數人有所聯繫的鵠的。最初的文藝運動與新小說的運動之間，前者是普遍的，而後者則進行得十分遲緩，主要的原因是由於文藝工作者的努力不夠，同時，也由於文藝工作者對小說的認識不夠，以致造成了先期的空虛。我們檢視那一時期的成品，所能流傳的，為數不多，亦不能舉出足以代表這一時期的型格。我們曾發現新文藝運動初期的一個重大危機，是由於新文藝運動所促成的一種冷酷的否定舊文學的存在和重視通俗文藝的存在，使一般識力不夠或不求甚解的人誤以為新文學運動在小說方面就是提倡俗文學，就是鼓勵那些像《紅樓夢》、《水滸傳》同類的，被衛道之士認為違反禮教和傳統尊嚴的作品。所以，讀者曾盲目地去崇拜《紅樓夢》、《水滸傳》的故事和人物，認為這些人物和故事的行為的意識，完全是文學性的意識，他們反而未曾領略到人類應有的人性行為和人性意識，這是不大周全的認識。與此同時，一些文士還承接了固有的文學餘緒，來從事藝術的創作，這時期的文士潛意識，仍以為小說的創作，是文人的才華的一種發洩，因而在小說的人物造型中，常以一種落拓不羈的狷態

寄託於故事人物中，目的在表達一個人的與眾不同之處，其行為的代表，是一致地以詩文傲世，以醇酒美人來自我陶醉。這些小說的人物，莫不存在著作者的自我世界和自我影子，我們文壇上不斷研究討論的《紅樓夢》，就是最具有這種典型的作品。其餘如《花月痕》、《青樓夢》、《鴛鴦夢》等，差不多都採同一的方式，盡情在顯露作者的才華，使這些才華見諸於故事中的詩詞。這一濫調的籠罩幾及於文藝運動後的十至十五年之間。這又是新文藝運動以後，小說方面所承接下來的一個不大健全的個人的「自我感覺觀念」。

中國小說的發展歷程

　　跟著以詩文傲世，以醇酒美人的「自我感覺觀念」的小說作風這觀念而來的，便是鴛鴦蝴蝶派小說的誕生，這一派系小說的能夠佔據一個時期的史頁，原因就為了當時文藝工作者的普遍技能未能滋長，個別的成就不能支持全面，有寫小說技能的人未必完全領略新小說所應具備的精神。鴛鴦蝴蝶派小說的特性，它所表現的是抽象的人物活在抽象的時代裡，其所有的遭遇，完全是男女的戀情，人生的享受，這些故事，沒有貧窮的困苦，有的只是生活上微末的苦惱，愛情上波折的苦惱，其所表現於這一個沉鬱的局面中，完全抹煞了社會的真實性，它能夠生存，則是由於中國的動盪所致。民國廿年的前後十年，國內的局勢都是政壇上人物的轉變，民間偶或蒙受其苦，然而，大多數都採取「哪一個皇帝都要納糧」的宗旨，人民即管安份地生存，一任政壇上的將軍政客各自爭逐他們的名位和權利，這種小說，就在這樣的夾縫中生存，它無視於當時的民生疾苦，也渾忘那南北戰伐的動亂，人民麻木，文學作品亦鼓勵麻木，鴛鴦蝴蝶派的滋生，一方面是文人在對社會底憎恨的規避，同時又為讀者在苦惱中找尋一條可資迷戀和發洩的道路，這正是多難的中國所加於文學上的影響，同時，又是近代小說的一個微瀾。

　　和鴛鴦蝴蝶派同時抗衡的，是現代小說的微弱力量，它不能在聲勢上奪得廣泛的群眾基礎，主要的原因是由於當時青年

人到中年人的精神都在普遍的苦悶中，新小說的內容和形式，多數人都不大習慣，尤其是那種截取某一重點而發揮的小說，在傳統的中國舊式小說讀者的目光中，簡直有點「有頭無尾」的感覺。雖然盡有些具有覺醒力量的青年，但他們亦有不易接受的苦悶。社會風氣的轉變是沿襲舊有的，既有的和理想的總匯而發生著漸變作用。小說的現代化途徑也和這個原則一樣，它承受舊有的，感染既有的，和接納理想的在向著前面而漸變。漸變的經驗，在新文藝運動的浪潮中已明顯劃分了兩大精神分野：第一個精神境界，是小說作者的自我抒洩的，自我迷戀的境界；第二個境界，是客觀的利他境界，這種精神境界，是在求取小說之對社會、對人類都能影響進化，影響德性，改變現狀的觀念。小說由晚清及民初那階段所產生的自我發洩的作品漸變而成鴛鴦蝴蝶派為止，這段時間，已可作一個小結，這是內容的分野，而不是時間的階段性。此外，新的內容的注入小說作家的筆底，其精神境界擴展了藝術的目標的（其間雖在原則上與固有的文士思想有相同之處，但是相異之處亦頗多，最顯著的是寫作的技巧和取材的角度，所以，我們的看法也有劃分的必要），大概說來，新小說除了中國文人的自覺而觸發了「今日欲改良民治，必自小說革命始，欲新民，必自新小說始……」而至「故欲新道德，必新小說，欲新宗教，必新小說，欲新政治，必新小說，欲新風格，必新小說，欲新學藝，必新小說，乃至欲新人心，必新小說，欲新人格，必新小說，何以故？小說有不可思議力量支配人道故。」（梁啟超語）之外，還接受了外國傳過來的技巧，和接受外國社會現狀所探索出來的道路，這條道路，見諸於胡適所發表的〈論短篇小說〉

所說的話：「短篇小說是用最經濟的文學手段，描寫事實中最精彩的一段或一方面，而能使人充分滿意的文章。」這情形，是人類生活形態的客觀需要，因為蒸汽時代所帶來的工業革命促使人類向更積極勤奮的道路走，一方面在為人類的幸福謀，一方面又為個別的國家或民族謀，互相作文明的爭逐，人類在物理動力擴大之下所產生的匆忙感覺，使他們對小說的要求，是在時間的經濟之上著眼，這是五四時代的世界現象。同時，又是中國小說作品貧血症所必然趨向的現象。我們所努力而有所成就的時期，這是抗戰的聖火燃起的前後，我們在責任感的督促，文學上的任何部門都一致為民族抵抗外來侵略而服務，小說自亦不能例外。那一個時期的作品，在小說的史頁中雖不能找出任何足以具備代表性的條件的作品，但是，這一時期的風氣，卻壓倒了鴛鴦蝴蝶派的伸張底氣燄，使我們的現代化小說的途程上斬除了不少荊棘。戰後十年，由於經濟力量的破敗，政府無力控制，以致戰後的文藝趨向，完全表現於反抗政府、不滿現實的途徑，能具有永恆性的作品簡直少得可憐，戰後這十年間其黯淡情狀，實在無法形容。這種情形，直到最近社會由動亂而安定，由安定而創作，每一個人都基於他們個別的選擇和願望，才表現出一片生機。新小說逐漸滋長，達到了安定和發展的地位。

從「鴛鴦蝴蝶」到「都市傳奇」

我們弄清楚了小說歷程的輪廓之後，不妨進一步窺探現代小說的內容。

在海外，（大體上是指香港、星加坡等有文化出版機構，時時有多數作家居留的地方）小說創作的現狀，大率上鴛鴦蝴蝶派和「現代小說」仍然並存的，甚至鴛鴦蝴蝶派在這一個時限與地域之內。其所表現的，亦有較於舊日的鴛鴦蝴蝶派所刻畫的「才子佳人」型更感遜色的，一墮而變為男歡女悅的肉慾小說，連鴛鴦蝴蝶派的唯美精神亦已喪失淨盡。這現象，它之所以能夠存在，是由於一小部分自甘墮落的公子哥兒，和一小部分有閒的、無事可做的「少奶」類的人長期閱讀所致，而大部分青年，均知警覺，並能自發地對現代小說知所選擇。不過，社會上的讀者水平是不能齊一的，小說的發表，一種是撰述完畢，交書店編印成書，另一種是交報紙雜誌發表（間或亦有於發表後編印成書），這中間，所成為問題的便是如何普遍吸引讀者。在作家的本身，基於他們的自覺，他們是決然願意撰寫情操更高的小說，以作良心的交代，同時亦作為他們藝術成就榮譽上的滿足。但是書店和報刊卻基於他們營業條件的要求，作家在生活上所依賴的情況下，亦不得不遷就於現實，所以現階段的小說，我們又發現了作家們所開闢的新途徑，那是在鴛鴦蝴蝶派與現代化小說之間所走的路子。這種創作，所開闢的新路其優點是截取鴛鴦蝴蝶小說的長處（讀者所感覺的）

與現代小說的長處（讀者所歡迎的）而成的另一種手法。作家所安排的事，是不限於固有的鴛鴦蝴蝶的純愛情的內容，亦間有以社會性為內容的，它的原則，都在刻求著一個「奇」字，作家的拾取題材，便非秉此原則不可，這就是今日我們所稱道的「傳奇」。我們可以想見「傳奇」的產生，是有意為小說而寫小說，換句話說，即是有意為小說的藝術締造清超拔俗、哀感頑豔、不可能而能之作品。

「傳奇」和一般小說的分野，要是把目光移近一點作比較，則有順理成章與奇峰突起的區別。一般小說對男女的愛慕，兩方面由認識而至建立友誼，應該是「其來有自」，要不是由於同學，加上鄰居，再加上世交；便是友人或親戚的介紹，互相在相當時間的理解而產生愛情。可是，「傳奇」卻能夠「一見鍾情」，一雙陌生的男女在偶然的場合碰頭，男的喜歡女的，女的喜歡男的，日夜思戀，終成眷屬，它的「情」是建築於舊式文人口中所謂「郎才女貌」的原則上面的。

有這麼一個故事：

「一男一女，在一個拐彎的地方碰個滿懷……」

這是開始，正統小說的演變是：

「……兩人互相道歉，便各走各的路。」

上面的結束是順理成章的。如果以傳奇的方式，則是：

「……兩人乘機擁抱著對方，嘴對嘴接了一個吻。」

這，就是不可能而能之的體裁了。

我們最忽略的地方就是誤「傳奇」是專寫絕不可能的故事的體裁。我們應留意鴛鴦蝴蝶體裁流行的時代的社會道德標準，當時的男女關係，而且確是憑「郎才女貌」作為擇偶標

準，他們憑著這個固有的意識抒發而達成「郎才女貌」的原則的作品，則它的牽強地方並不會很多，遠較近日那些「一夕緣」，與及憑生理上的某種誘惑而愛悅的要高尚得多。

　　現有的報章雜誌的小說，幾乎每篇都是接近「傳奇」的作品，他們把「傳奇」故事演進成為專寫「小人物小故事」或都市的糜爛生活狀態等，以達成他們的「奇」的目的。新的「傳奇」小說的好處，是能夠採擷社會的眾生相，凝聚成一個小人物的典型，對畸型的生活作正面的和反面的諷刺，對都市陰暗面作重點的揭露。但是，缺點最多的地方仍然在對一個時代的道德標準抓不住核心，對於能夠代替「郎才女貌」的原則，仍然未有新的發現於作品中間作為代表時代的作品的精神支柱。無怪有些人對今日「傳奇小說」的評價的低落了。

　　「傳奇小說」的意義，本來不像現在流行的這樣解釋，它是我國古典文學的一種。今日所流行的，當然不能與魏晉南北朝的「傳奇」可比。（本文所談的是現代小說，我們無意在這兒談古代的傳奇）今日的「傳奇」，一般的評價是並不甚高，這是事實，但是，我們也不能忽略它所能生存的空間——它是藉著鴛鴦蝴蝶派在沒落階段而接受其餘緒，擷取其長處而勃興的一種。內容採擷的是以都市的背景和都市的人物為多，所以亦有稱它「都市傳奇」的，我們也不能忽略作家在大動亂後居留於這樣的海外都市，他們的情感、思想的鬱結，往往迸發而成為一時的憤世嫉俗的作品，藉都市人物的生活狀態來鍼砭現實。這情況，又要超越過「有意為寫小說而寫小說」的情態所產生的效果，這一線曙光，具備了中和現代小說的嚴肅面，同時，它對於小說創作的思路、筆觸、詞藻，都有創造和開發的

力量。所以，今日的作家，亦有在「都市傳奇」和更嚴格的「現代小說」中間找尋出路的。這樣的取材和創作，是接受更真確的現實背景，接受更放縱的故事變動，接受更奇詭的人物遭遇來配置新的創作方向，是合乎我們推行嚴肅的文藝創作走向大眾化的道路的。由此我們又可相信小說創作的準繩是不能趨向「載道派」的極端。

小説魅力的所在

讀小説者的願望

我們研究文學，把理論做得差不多了，可別忘記來研究一下讀者的願望。即管，我們都是曾經做過光是讀，沒有寫的階段，而我們的記憶力是由於它的需要與否而加以遺忘或深深不忘，我們今日所回憶的自己底意見，能解釋我們自己當時的意見，因此，研究讀者的願望，是不可或缺的。

讀小説的人底動機，可以説是完全為了享受一下心靈上的安泰，廣大的讀者群眾中，幾乎沒有一個人是純然研究而下功夫的。那末，為了享受而閱讀的人，他們的要求是內容的趣味而不會想到意識的價值。經這樣的推演，便找出了一個答案來──那是一般讀者所注目的，僅是故事內容的滿足，是以小説的創作，讀者希望與作者的希望，心情往往是兩樣的。基於作品的對象，是為讀者而寫的現實理由，研究讀者的希望，正是在今日從事寫作生活中的一個重要課題。

關於「讀者」一般性的劃分，許多人都以為是拿知識水準作為劃分的方式，這種分類法是吃力的，最易於分割，亦很能代表一定的水準的，是以年齡作為分類。

有一點值得注意的，那是十七歲以前的青年人，對小説的願望則是極力的渴望有出乎意料的故事高潮，極力希望情節一

步緊似一步。他們並不把內容所賦予人物的性格和行為的方式能否配合放在心上，他們唯一的願望就是盲目的接受生動的喜愛，排除故事演變得緩慢的方式。

青年人的想望，也有一定的形式。比如說，他正在用功於課業，他會很醉心於課餘的參考資料，有些「有所為而為」的小說，往往能夠很著意的經營一個足以教導人去讀書的故事，以達成他們為教育而創作的目的。於是，愛參考資料的青年便容易為這一類小說所吸引；其他又如某些人喜歡探討「特殊風俗」，能夠掌握這些特點的，便又適合這一種人的興趣，這一類作品，是基於讀者的需求而產生的，這是以讀者作為主動的一種。

有些人對小說並無愛憎的觀念，有空時看看也可以，閒著聊天，不看它也照樣並不感到寂寞難耐。在可有可無中忽然發覺有一件故事搔正他心坎的癢處，把他平日所無法表達的表達了，把平日想到類似的形象刻畫出來，還把胸中的隱秘暴露出來，這是基於作品本身的力量牽引所產生的，正是文章對讀者的牽引作用。

寫小說者的願望

一個文藝工作者，本來不需要太多顧慮去追求形式和內容是否適應別人，主要的，必須是表達自己的願望，同時，讓創作的作品去煽動讀者。寫作者完全為了表達一種高尚的情操，然後，繞著這個氣氛去展開故事的情節。

情操的掌握是比較困難的一環。作為一件藝術品看待，自

然是必要去解決這困難處的。一個創作者的最高期望，一定不是僅僅把故事的素材，組織起一個高潮迭起的故事就算滿足。而必須提煉這個故事成為一個有中心問題；故事形象的表達，也有著一定的情操水準。

創作者的進行是有著這麼必要，不管讀者願望如何，但將足以表達情操，足以顯示問題的中心的作品拿出來，便算得上是忠於藝術的了。但是，一意孤行，總是欠缺中庸的精神，一般人為了意境和情操，往往不惜遠離讀者的領略力，去製作只能自己領略的作品，現在流行的「無字天書」式的新詩，就是這一類的代表。小說的創作，不僅不能把有形的故事抽象的表達，也不能把人物的活動蒙上霧幕，是以，寫小說者縱有過高的願望，也得委屈一點——為了呈現在讀者的面前。

小說的魅力

大家都相信離奇的情節是吸引讀者的方法之一；更有些色情的鏡頭，也能達成風魔讀者的目的，可是，這些手段都是不正常的。離奇的情節必須考慮於人情物性和事理，當然，故事的突變是能緊扣閱讀者的心弦，但，必須研究這一突變有沒有不合常理的地方。至於色情鏡頭的表現，有些粗獷的描寫會被譽為坦率壯觀，而深入描寫男女撫愛行為的，也有著「自然主義」的藝術護符。在我們的社會和我們的國民性說來，再漂亮的名詞也不能解釋抵觸道德的行為為合理的，儘管我們並不「衛道」，描寫閨房撫愛行為一如當街小便之不易獲得社會的諒解，是則，「自然主義」的表現法則也得考慮於我們的道德

觀點。

　　其實，小說創作的活力，並不一定要借助於離奇的情節和色情的動作。小說的創作也和其他文藝創作一樣，重在掌握人類本身的痛苦和快樂的經驗，一個人的苦處一經道破於小說活動中，一個人的樂事一經重活於小說進程，都容易把讀者不知不覺的帶引到作品的中間去「神遊」的。讀《紅樓夢》，許多男孩子會以賈寶玉自比，許多女孩子會以林黛玉自比，這便是小說對讀者搔到癢處，道破願望所至，換句漂亮的名詞，這就是達到「交感」的目的。因此，小說的魅力只有一句話：作者的願望和讀者的願望交感，便自然產生煽動的力量了。

武俠小說的存在與價值

一

　　文學的方面是寬廣的，小說是文學的一環，因此，小說是文學。在新文藝運動以後，所確定了的地位至今為世人所公認不移的（當然，這是中國的情形，在世界各地來說，小說早已被視為文學的一種了）。由於統屬的關係，凡是利用故事形式來表達一種思想或一種中心目的的，都可以稱作小說，這又是為世人所承認的，基於此一簡明的定義，我們來研究一下武俠小說的存在及其價值，在此時此地，是有必要的。

　　在個人的接觸中，一些人對武俠小說是禁錮在固有的定義中，以致有一種偏見的存在，因此，當我們在進一步探討之前，首先需要廓清一下。記得四年前，我曾在本刊發表一篇〈論偵探小說〉。我寫成此文時，曾與好幾位文藝雜誌的編者談論過，他們都認為「偵探小說」是不足道的，因此，他們不止表示反對，而且更反對我去討論它。但是，我堅決相信，偵探小說無論如何是小說的一種，即如小說是文學的一種一樣。最近，首倡新文藝運動的胡適博士也發表了一篇演講辭，指出偵探小說也是文學的一種；於是，有些反對偵探小說的人悄悄地也贊同起來了。胡氏所講的內容，和我四年前的文字不謀而合。雖然他這麼說了，我並不以為胡適的見解和我相同便認為

有什麼光榮，相反的，我對胡適博士同時所發表勸人多看偵探小說，勿看武俠小說這句話表示反對。

這是一種普遍的誤解。我曾綜合了一些反對武俠小說的人底意見，大概有下列幾個感覺：一、由於一些人看了早期的武俠小說而產生偏執的印象。這原因是由於早期的武俠小說多帶點神怪色彩。他們認為其中所說的劍仙吐納，把鋒利的寶劍變成彈丸，吞到肚裡的怪誕方法，足以導致少年人想入非非，而令一些孩子有入山拜師學劍的幻想；二、有些人認為描寫一個劍客的武功過份驚人，根本是常人所不可能的，因此，變成了一種非現實的小說而失卻其文學上的價值；三、更有一些人因為香港較早些時出現的新派武俠小說是在左派報刊上風行起來，同時，又由於有一個武俠小說雜誌與左派人士因這一個問題展開筆戰而掀起了一種政治成見，認為武俠小說是左派的產物，統戰的工具。

上述三種觀點，大體上可以概括所有反對武俠小說者的類型了，可以肯定地說，這三種類型的人，他們的偏見是盲目的，片面的，同時也不瞭解小說與武俠小說之間的界說的。

第一、今日武俠小說的發展，在技巧上是超過了平江不肖生向愷然的《江湖奇俠》，還珠樓主李壽民的《蜀山劍俠》之上，更凌駕於早期的《七俠五義》、《小五義》及《施公案》等小說之上。當年的武俠小說，多少有神話色彩（其實，神話並非文學的絆腳石，我國的《西遊記》、《封神榜》；西洋的《奧德賽》、《伊里阿特》、《天方夜譚》等，都被公認為文學作品），較貼近現實的《七俠五義》、《小五義》，也都有迷信成份。可是，今日的新派武俠小說，都完全矯正了上述的毛病，

不論情節如何詭譎，都存在於人類生活中可尋覓的途徑，因此，持有第一種偏見的人，可以消解這一點焦慮。至於說少年人看了會引起他上山尋師訪劍的興趣，則孩子看了談愛情的小說，又何嘗不引起他們尋求愛情的興趣？而愛與慾底一線之隔，他們又怎能分辨？

第二、現實與超現實之間的辯難，並不能構成非文學與是文學的因素，因為小說是有小說的條件的，也等於一篇散文要具備一篇散文的條件一樣。武功高到超過常人的最高可能，這只是寫作藝術的一種，若果我們承認神話小說的存在價值，則武俠小說的存在價值自然無懷疑的必要。神話小說之所以要描寫一個出神入化的仙佛，他們的目的，並不是以仙佛為終，而是以仙佛作為表達的途程和手段，仙佛的法力，只是藝術的誇張；同樣，武俠小說的武功，也是一種誇張技巧，他無損於真實，因為它無考慮真實與否的必要。

第三、政治偏見的存在，是文學的最不必要的紛擾，新派武俠小說最先出現於左派報刊，並不能構成新派武俠小說對人類的災害。雖然，有人以為那些小說作者故意歪曲了歷史，以這種方式來寫武俠小說，作為宣傳符合他們的政治目的的要求，這種說法，也不過是個別的現象而已。若然認為有這種現象存在而否定武俠小說，則其他類型的小說也得一併否定，因為他們也正在利用其他的類型來達成他們的政治宣傳目的。這兒，我們可以說，這種想法是幼稚的，正如魯迅並非共黨的黨徒，那些右派的宣傳官員強把魯迅推入左翼陣營一樣。這種觀念的存在是十分糊塗的，譬如說，左派人士寫武俠小說，反左派的人就不該寫，那末，左派人士吃飯呢？反左派人士是不是

都讓他們餓死才對？這兒的結論是肯定的，政治偏見在文學的範疇之內都是應該摒棄的。

二

武俠小說，在小說範圍中，是與那些通常稱作愛情的、偵探的、冒險的小說並列的，它所以被特別標示出「武俠」兩字出來，就是由於它的表達方式和表達技巧都環繞在武俠的範圍之內罷了，這界說是很明顯而又毫無副作用的。因此，在文學內容之下，它是小說，無特殊意義的小說，它的好壞，只是繩之以文藝的標準，而不是以類型來區別。

武俠小說即是小說的一種，它自然是要服從於文藝創作的技巧和概念的，凡是小說必須具備一定的主題，以故事的人物和行動來表達主題，發揚主角的個性，編織動人的情節，這種任務便算完成了。武俠小說有一點比較特殊的，最基本的則是整個內容，都圍繞在一種俠義的精神之下，這種精神所表現的故事，雖然在世界名著中可以捕捉得到不少影子。然而，我們相信這種精神，是我們中國的特有而又普遍的國粹，朱家郭解的俠義情懷，是我們最典型而又最原始的精神，憑藉這種精神來完成小說表達的工作，這原是類型的問題，而不是價值的問題，因此，在大前提之下，是不該拿類型來混淆價值，也不該以類型來代表價值的。

武俠小說本來就沒有特別標揭其特有的意義的必要，不過，由於世俗的稱謂與流行習慣的關係，才不得不冠以兩個類型意義的字於小說之前罷了。當然，武俠小說是存在著它

底特別色彩的，這種不同處，表現於「武」字上面——這是技術的；另一個與一般小說主題意義相通的，則是一個「俠」字——這是思想的。

「武」和「俠」是有所區分的，真正具有文學價值的作品一如若干名著所表現的浪漫底思維，《雙城記》中的上斷頭臺一幕，有浪漫的俠情，《易水灘》中的荊軻，也有浪漫的俠情。這些俠情是一種基本，而武技，則是一種表現俠情的過程手段。

我們分析一部成功的武俠小說，它必須一如上述，包括了基本精神和過程手法。但凡一篇小說，人物是必然的，人物的活動也是必然的，而這些活動目標是表達一種思想更是必然的。因此，我們發現表現思想的最基本底手法，是創造典型人物，掌握人物的性格。在一部複雜的小說中，人物的類型是包羅著作者所欲表達的環境所牽涉到的職業範圍和趣味範圍，在這些範圍中間，它有著正派與反派或正反之間的人物，作者必然地注入了他所擬定的個性，這個性，自始至終在原則上不會違背。然後，憑這些一定的個性去穿插於不同的社會形態，配合偶然與必然的事故，來構成事件的核心。武俠小說的表達，當然是要依循於這種必然的表達程序與方法的。

三

在另一個角度看，武俠小說也有其特定的方式。因為武俠小說描寫的對象，主要是江湖人物，他們的行為，在中國的本質上稱它作「遊俠」，在西洋的本質上，稱它作「騎士」，這

些人物有一種共通的情感，那就是奔放的情懷，英雄的色彩，博愛的心腸，忘我的行徑。他們生存的社會，也有其特殊的形式的，我們在這方面可以發現重要的淵源，大凡民主的、自由的、安寧的社會，武俠小說的發展是困難的。相反，專制的、不平的、動盪的社會，正是滋生這種小說的溫床。中世紀的歐洲，是產生「騎士」思想的世紀，因為人們長久禁錮於宗教與政治相結合的枷鎖之下，人們精神無從發洩，於是滋生了「騎士」思想，把人們的自由慾望和被壓迫的忿懣藉虛無的、放縱的、浪漫的騎士來發洩，來滿足。在中國，也是由於貪官污吏，土豪劣紳所佔據著的社會而擠迫出一種沉悶與憤慨，才滋生了一種幻象，這些幻象久而久之，凝結成一個個的鏢師俠客的典型，來滿足、發洩每一個人的怨懟情緒。

　　正如東方的文藝思想「文藝是苦悶的象徵」一樣，武俠小說的滋生，是一種苦悶浪潮下的產物，這種基調，和太平盛世時代所產生的仙佛（包括得道成仙及求取長生不老術的思想）小說如出一轍。文藝思想的傳達者，政治的、經濟的任何有形的壓迫欲加於人們的頭上都可以加以抗拒的，但是只有思想，一種基於反抗性或啟示性，以及期待性的思想的凝結形成及滋生繁殖是不可抗拒的。小說是這種思想的模型，因此，它很自然地成為社會的產物，先知者（思想進步的作家）迅速反映這種思想出來，一般人基於共同的憤慨或憧憬，便迅速的接受這種思想於無形。這兒，我們發現任何一種政治企圖的滲入都是徒勞，因為任何一種形式的統治者都有其治人的企圖，這種企圖對於思想的自由發展，是有著人底基本概念的對立性的。大凡治世，政治所加於人民的壓力或麻煩減至最低限度，則人民

的思想苦悶，便不在於政治之上，仙佛思想的憧憬和治世有著因果關係。當然，這是限於豐衣足食的世紀的一種徵象，因為人們在沒有政治經濟環境的壓迫，便有豫暇去憧憬人生的缺憾。人生的缺憾，古往今來都解決不了的是生、老、病、死，長生術與神仙故事而俱來，這是有它必然性的因素的。等而下之，俠客鏢師，當然是基於亂世或畸型社會底下貪官污吏，土豪劣紳所加之於人們的壓迫而擠迸出的一種苦悶癥象所致了。

四

武俠小說本身，是有著與一般小說在表達方式上所不同的地方。在現實的意義上，有如上述的相通的地方，但在現實的形式上，是有著相當的距離的。

武俠小說的歧異處，端在一個武字上面，也可以說，這是一個標識。武，就是小說裡面的人物底武功。這些武功，與其說是寫作方式的歧異，毋寧說是時代背景的歧異較為切當，因為這些武功，在本質上，它是存在的，所存在的時間，是在機械未發達之前的中國閉關自守底時代。在當時，武藝之於中國人的關係，被視為是一種學術。中國自有文化以來，一直以為「禮、樂、射、御、書、數」六藝，是求取知識的「必修」科目。其中的射和御，正是武事的一種，因此，武藝之於中國歷史底社會意義上，是有著進步的傾向的。大凡一個「文武兼資」的人，被人尊重的程度，無論如何，比之一個文弱書生來得重要。武事的現實意義，從歷史觀念看，是沒有什麼太大的距離的。所以，武俠小說儘管如何誇張武藝，在時間上意義上說，

該不致有過濃的浪漫氣息。從小說出發，誇張是一種藝術，因而，對於武俠小說某一角色的武技誇張描寫，是具備著小說藝術的必然步調，並不能構成一般人的詬病原因。這些表達方法，和一些描寫女性的美媚，情愛的絢爛底基本出發點完全相同的。

對於武俠小說的浪漫性，在人物性格上，故事結構上，由於不受宗法社會的約束，所以在這些問題之上的表現是較之其他類型的小說顯得灑脫不羈。因此，我們深深感到武俠小說是一種革命性的文學，原因是武俠小說中間的人物，由於他們被刻畫著鮮明強烈的正義感和恩怨敵我分明的性格，促使他們的行徑表現著革命的精神——在是與非的，光明與黑暗的關頭上，抗擊傳統的約束，推翻任何不平的社會形態——這一點，是武俠小說最重要的特色。

有人認為，武俠小說中的人物行徑是超現實的，這個問題，就得分開兩個方面來看。第一、武功的超人，這是目下對武俠小說表現懷疑態度以及有意否定其為文學環節的人底理由。我們以為，這是並不嚴重的問題，描寫武功的超人，無論如何，都得肯定它是表現小說人物特性的手段。我們說過，寫愛情小說的人喜歡把小說人物女的寫成天下無雙的美女，男的也是博學多才的標準人物。這還不算，仙佛故事中的法力誇張，如果拿來比較，則武俠小說的現實性，將不因武功的如何出神入化而有所懷疑了。第二個問題，就是武俠人物的行動問題，人們對武俠小說人物活動的意識甚表懷疑，他們以為武俠小說中的人物，是否大部分都是無業遊民？他們是否都在閒散著，不必為謀生而操心，是否生存的意義和前提都是「行俠

仗義」？是的，這是一個最重要的現實意義的懷疑。這也是創作這類小說的藝術關鍵。不論在任何朝代發生的故事，武俠小說中的人物是必須有他們的生存空間和生存方式的，換句話說，武俠人物必須有他們的既定職業和生存條件，儘管生存方式和生存條件被破壞了，但，無論如何是存在的。我們所可解釋的，遊俠的行徑，是依附於生活當中，而不是超脫於生活之外。

五

　　武俠小說的發展，在清代有顯著的表現。我們可以推衍出這一類型小說發展的道路——遠在明代，《三國演義》及《水滸傳》在民間生根，由評話而繁衍成為一種文學形式，它的生存條件是基於一種俠情的本性以及反抗精神，才構成廣泛歡迎的因素。我們都知道，《三國演義》演述的故事，是草莽英雄的崛起，與社會形式的衝突，其中的俠情，被塑造成一種道德的典型——這些形態，正是武俠小說的胚胎。在《水滸傳》裡，我們可以發現武俠小說的胚胎已經成了定型，《水滸傳》中的人物，是草莽的英雄與一種特定的社會形態之下所產生的生活意義及生存條件中間的衝突，其中有遊俠的影子，尤其有率性的人格。這些小說形式，替清代武俠小說開拓了一條道路，於是，乃有《三俠五義》（按即後來《七俠五義》的前身）、《兒女英雄傳》的產生。這些正式成為武俠小說定型的作品，在明清小說的軌跡中，是別開谿徑的，遊俠的產生，更形象、更具體地表現出來了。我們必須研究武俠問題之前，瞭解一下

遊俠的行徑，然後始足以領略武俠小說人物的性格的問題。

　　遊俠，在本質上有別於「唐·吉訶德」的性格的，因為，人類在生活意義上，無論如何不能脫離人類社會生活形態的，因此，「遊俠」不可能是為遊俠而遊俠。遊俠思想的構成，除了為著個人的自由、理想、以至生存條件的求取之外，還得加上多數人的自由、理想以至生存條件。因此，遊俠思想，是接受中國一種基本道德的薰陶，有著推己及人，以至兼善天下的概念的。遊俠小說，正是這種思想的發揚。所以，我們今日對武俠小說的評價，就有著截然的界線與準繩。我們可以理會到，許多標榜為「武俠小說」的小說，多數著重在「武打」之上，經營的故事，是江湖人物的自私發展，在自私的矛盾中造成衝突，以至形成一種相互尋仇的冤冤相報觀念。這一類「武打」小說，可不能稱做「武俠小說」，主要就是由於這些內容，已無「俠」義存在。在小說創作上，實際並不限於武俠小說，它底恩仇觀念，並不存在於個人意識之間，而是存在於社會意識、道德準繩之間，大凡表達了社會意識、道德準繩、不論武俠小說、非武俠小說，它都自然而然的成為具有藝術性的文學作品。

散文篇

新聞文藝與報告文學

　　作為今天的文藝工作者，應該已跨前了一步，把時間和空間都綜合到文藝的領域去，為新的時代創造瑰麗的花朵，為新的時代豎起嶄新的里程碑。

　　這裡，我覺得有談一談新聞文藝與報告文學的必要。

　　在定義上，新聞文藝也可以說做報告文學，而報告文學，就不一定是新聞文藝，因為這些作品，在創作方法以外，要滲進「新聞」的內容。報告文學就不一定拿「新聞」兩字來範圍它。

　　自從「新聞」工作成為一個「學術」的名詞以後，新聞的技術上就應該與文學的精神更緊扣一步，因為處理一則新聞，並不一定是枯燥得像流水帳那麼紀錄，而是要通過文學的技巧。由於這，新聞文藝該在文藝領域中佔有一個重要的席位。

　　新聞文藝的創作，應該是客觀地感受，整理，透過主觀的寫作技巧，才能完成一篇完美的報導。為的是新聞文藝要有活潑、生動、新鮮的題材，在蒐集的時候，須要審慎的處理，題材的採擷，必須是關係社會的，人類的，維繫到整體的，忠誠地把事實再表現，反映社會的廣泛性，描繪社會的態勢。「新聞」是文化的產物，其中包括人類的行為、意慾、目的等各種社會現象。人類生活與日俱新，作為站在時代前頭，反映社會生活的新聞文藝，當然得接受時代所賦予的使命。就時間或空間來說，新聞文藝，實在應該稱為各種異質的連續。如果僅就

表面的現象加以觀察和報導，對於內涵的意義，概念所構成的要素忽略，這，該是新聞文藝工作者的失敗。

基於上面的原則，新聞文藝必須：一、時間性的把握，明顯一點說，即是「現實」所存在，所能發生作用，並能實現的事物，它所具有的時間狀態，對於人類的反應。二、現實性的問題，亦即是與假想以及思維的想像物相對，必須強調事物狀態所具有的「現存的實在」，當然，現實性並不是實體的存在，而是我們精神過程中的感受。因此，直接把握現實性是新聞文藝工作者的意識。所有構成人類意識內容的事物，必須具有速度——變化與持續——的條件，我們當事物變化的當兒，在「時間的性質」變化的瞬間，在知覺上即能感受，這，說明了新聞文藝的在內底採擷。

如果要指出報告文學和新聞文藝有更明顯的分別，那麼，可以說：一，新聞文藝是時間的現實性和資料現實性的綜合體；二，報告文學則是資料的現實性而已。

現實性的根本要素，實在是一種強大的精神力量，這種精神力量，往往能刺激人類，使人們因而發生強烈的興奮感覺。報告文學的主旨，就在以樸素無華，忠於現實，把活的事物用活的方法呈現在讀者的面前，讀者心理之所以常常給報告文學的感情所捕捉，原因應該是「真實」。雖然，在真、善、美的解釋範疇裡，美的雖不一定要真，而真的必然具有善和美。

報告文學的寫作技巧，又與新聞文藝有些不同的地方，新聞文藝著重輿論性的反映，像一面鏡子，把原有的光暗面重新顯現，報告文學卻是截取角度與誇張片段。一篇報告文學的完成，和一篇小說的完成都要經過同一的程序，儘管小說的創

作，人物和故事是靠作者生活與靈感的體驗，報告文學的人物也須觀察他的氣質，才能使神韻逼肖。

　　說到資料的整理，是報告文學主要的一環，正如一條花徑，作用是供給人們通達花圃中的亭榭樓臺，然而，平敷下去，有損東方的神韻。崎嶇一點，會不會招致舉步艱難呢？文學始終是性靈的產物，即使報告文學是為報導現實而創作，也得通過性靈底提煉，來達到表現的目的。

散文・散文的情韻

　　今日的青年，當覺悟到應該摒棄鴛鴦蝴蝶派的小說，而回到文藝的道路時，便第一步踏入散文的領域。不過，這些朋友多少帶點惶惑，因為他們所接觸的，有所謂散文、雜文、隨筆，更早期，又有所謂美文。因此，文學上的分類工作在青年的學習目光，是萬二分重要，而卻是一些作家所不願為不屑為的。這兒，我願粗淺地一談。

　　這是每一種學問開頭的所謂「定義」。散文在中國文學的史頁上，早就佔據了重要的地位，以分類來說，《文心雕龍》中所列舉的過於繁瑣，我們不擬多所抄錄，就文學精神的分類，較早的只有兩大類，一種是有韻的，稱做「韻文」，一種無韻的，稱做「散文」，它可不管什麼論文也好，記敘也好，一籠統的劃成兩種。時至今日，文學的運用愈難精到，則分類法自然不能照以前那麼簡單。新文藝運動以後，除了周作人所提倡東洋式的「思想、山水、人物」的隨筆式的美文之外，散文這一名稱，無形中給寫抒情文字的人所佔據，其實，以今日的散文涵義，當不限於抒情文字而已。

　　在未提到他所包含的內容以前，我們且讀一下 Carl van Doren（編者按：今譯卡爾・范多倫，哥倫比亞大學英語系教授，最著名作品為評論集 *The American Novel*）所說的散文「可以有各種長度、寬度、深度、份量、密度、色彩、氣味、形態及價值，全憑你的主意決定。諷刺短文和長篇大論可為兩個

極限，但散文也常侵佔兩者的範圍……在形式上，它不必拘泥；在題材上，它任意選擇……散文可以像搜藏的珠寶那麼苛求，也可以像買小菜那麼隨便。」這一段話，更明晰地提出了散文的定義來了。它告訴我們，散文是兼具了短小精悍與長篇大論的外形，它可以隨意發揮的自由形式，也即是說，不論抒情的、隨感的、發表議論的，它底分類，都應該列入散文之列。

但是，這些日子，出現在文藝書刊上的文學形式，可有許多不同的文體，像雜文、美文、抒情文、遊記、隨筆等，本來，這些都是散文的，由於它的本身所顯現的形式或者本身所表現的內容或有不同而名稱便互異了。雜文，一般的意義則是表現的題材距離抒情的意義頗遠，而它卻表達了一種獨特的意義，這意義是尖刻的，嘲諷的，或不受一般意見的影響，或故意遠離常理的文字。雜文，表現於魯迅筆下的，常被人稱為「匕首」，是說它短小而精悍，今日仍有不斷提倡使用匕首來改造人性的醜惡，在戰鬥意義來說，它是很強。美文，這個名稱稍為陌生一點，這是周作人所介紹的東洋式文體，是指記述式的文字，他說：「有許多思想，既不能作小說，又不適於做詩，便可以用論文方式去表現它。」這種表達方式，就是後來的小品文，更具體一點，這就是夏天晚上，挾著蒲扇在屋簷下閒話，或者冬天晚上，圍在火爐旁隨意談說。有時評評人，有時品品事，這一種，與隨筆的意義又是相通的，隨筆的意義是直覺的，他信筆寫成的東西，頗有「無所為而為」而不是「有所為而為」。抒情文，在內容上則與上述的沒有多大分別，而它的精神，則在有可抒之情才可以抒，絕不能抒沒有情之情。

所以什麼閒愁也好，歡笑也好，必須有著它底實際生活的支持，它是一個騁馳思緒的廣場，生活面的擴大，則抒情的範圍亦擴大，抒情文主要是在境的開拓。至於遊記，本身的分野變明顯得多了，它是單指記敘某一特殊地區的印象文字，當然，構成遊記的條件是並不簡單的，儘管它需要於抒情式的裝點，小品式的議論甚至考證，雜文式的嘲諷，而這些不過是表達的技術而已，在分類上，是不必費辭的。

　　散文，畢竟是有它底情韻的，散文的情韻，就是散文的精神。抒情、小品、隨筆，它底最高階層在有情可抒，這是緊貼生活面的產品，它不能強生感情。我們不止談散文如此，談詩，談小說莫不一樣要求緊貼生活面，詩是鍛鍊的語言，是情感的主觀表達，但是它不能脫離人類生活去馳逐於虛無飄渺；小說，儘管它若干事象是虛構，而它底虛構部分，也得合乎生活的軌跡，一經脫離生活的軌跡這篇小說必是失敗無疑；散文，在生活方面的接觸更多，則它的韻味，更濃郁。我們所指的並不是要強行描寫那些美景良宵。一個好的散文作家，他是隨意在生活中間俯拾題材，抽煙喝茶，盡可以構成生活小品，如意與不如意的生活，更是入文的好資料，散文，是娓娓而談的家常話，它的韻致，就在「娓娓」上面了，這是緊貼生活的一環。此外像看花、賞月、嘯傲煙霞，也是散文的好資料，我們對於自然界的親近，不可忽略的是時代的意義。古人看花賞月，有一股書呆子氣，所觸起的盡是「閒愁」。這閒愁，表示了一個無所事事的朝代產生了一無可為的人，閒得發慌了，無可無不可地對著月亮強捏著愁根。現在，我們是廿世紀六十年代的人，我們對自然界的花花月月的態度遠不是古文士那樣看

法了，所以這些生活方式與及感觸都不能循著古人的足跡走，今日的散文，便應注意這一種時代的精神。近代的散文，自晚清桐城派古文士風氣籠罩士人的筆觸之後，散文的情調，便著重在清雅醇正的精神上了，古人有所謂「席不正不坐」，「割不正不食」的固執，清雅醇正就承接這種精神而來，今日所保傳的仍有清、醇、雅三個字，散文家似乎不太喜歡古人所死抱著的固執——正。

雜文的道路

　　有新文學運動的發生，就有文體的改革，重建的必要，若干年來的破壞，重建的高潮迄今仍未完全掀起，這現象直接影響文藝本身的不健全。文學革命以後唯一的高潮就是八年抗戰的時期，作家們分門別類的埋頭做過功夫，其中以散文、雜文的表現最為顯著。我們要是把文藝劃為「輕工業」和「重工業」，那便該作這樣的區別：

輕工業	短詩、散文、雜文、短篇小説
重工業	劇詩、故事詩、長篇小説、劇本

　　以抗戰的蓬勃期來看，最具成績的是輕工業，因為局勢的動盪，流徙的頻繁，直接影響長篇作品的創作，所以抗戰期間的長篇作品可資流傳的有限得很，而短篇的，像散文、短詩、雜文，數量上是十分可觀的。但是，抗戰勝利後的文壇由於社會風氣的轉變，文藝逐漸走向沒落的途徑，至少，這一段荒蕪的歲月是缺乏生氣的滋長。我們的文壇，長篇的作品固然少有成就，短篇的作品同樣沒有良好的表現，而局勢是急激在變，使文藝生命比在抗戰的環境中更動盪。多少年來的積聚，至此，內在的，外在的變遷，把文藝的基礎掃盪一空，整個文藝服務於黨派的利益，政策的雷厲風行，使藝術變成政黨傳聲筒，藝術的可哀，已不是藝術內容變質的可哀，而是藝術地位被貶抑到奴隸地位的可哀。問題與此俱來，屬於統治階級的藝

術局限於既定的政策，沒有能力產生更偉大的作品，文學上的「重工業」的難產自亦在意料之中，自由份子被迫退居海外，在最初的一段時間，情況是十分混亂的，乃有漫長時間的整理安定，才見到具體的表現。我們客觀地檢討這一階段的成就，可以發覺有一畸型的成績，那就是長篇小說的多產，把整個文藝領域的其他種類掩蓋了。（這一現象的研究，後當以專文討論）相反的，抗戰時期所最有成就的散文和雜文，至此卻默然無光，特別是雜文，成就的表現更感今不如昔。推究此一原因，大抵文藝工作者過份重視小說創作。因為雜文的寫作，在職業作家的感覺裡是被認為繁瑣的類別，更主要的則是一般刊物容納雜文的篇幅太少，以至大家都在忽略。目前，所存在的雜文，多數是見諸於報紙副刊上的一個小方塊，報紙之所以容納這一個小方塊，原因是在於它的小巧辛辣，語語玲瓏，適合每日閱讀的人找尋新鮮的刺激。偶然也有些綜合性的期刊採用雜文，也許由於期刊有時間的餘裕，所以他們會選擇比較永恆的題材，同時亦選擇比較厚重的文字，此外，本港所僅有的幾家文藝雜誌可以說對雜文完全忽略無遺。

目前，人們對雜文有一層誤解，以為雜文在文藝中是一門服從於政治的特別文體，這種誤解的造成是起因於它本身的特性。本來，雜文的特殊氣質是攻堅，是對現實的醜惡加以抨擊的一種具有戰鬥意味的文體，就為了這種緣故，使一般人誤認凡「戰鬥」必是政黨的行為，由此而把雜文劃歸為政黨的文藝，其實，這種看法是一種冤枉。

雜文的本身，其純潔的程度一如文藝中其他的文體，並不因為它所採的姿態不同而成為依附於政黨的體裁（當然，政黨是

會利由它作為工具，一如利用其他文體）。今日雜文所走著的路子是十分狹窄的，這種情況，純然是人為的結果，人們並不曾用心地去發現雜文本身所存在的優點，這是今日文壇的一大疏忽。

雜文是戰鬥的（這種戰鬥的姿態與「戰鬥文學」無關），是攻堅的，這一文體、向被譽為「匕首」、「投槍」，我們雖不擬套用濫調，但這美譽在雜文的光榮史跡之上是不容被遺忘的。我們對於文藝的觀念曾痛下苦心期待並建立一個心靈的圍囿，在哲學家的口中，這是一種「場界」，而詩人常指出這是「境」的發現。雜文在「文藝場界」中，它是一個急先鋒，同時又是一個勇敢的衛士，雖然這些抽象的口號只能提醒我們對雜文之模糊觀念，但是我們不能忽略觀念是能夠給我們組織出一個頭緒的。

雜文與散文，本來是同時淵源自同一的道路，晚清的文學餘緒在散文的氣質上滲進了新文學的脈絡，所以，我們在散文中有所宗於清、淳、雅的道路。而雜文的蛻化，第一步就是遠離士大夫的閒情逸緒，邁步走上粗獷坦率的途程。在文學革命中，雜文是最革命的一種文體，小說是次革命的，散文是再次的，詩，可以說是依戀著殘骸的，或簡直是不革命的。在這些文體中，雜文曾打破了傳統的文飾、義法，面目一新的直接表白，直接批評，在取材的技術上，它具備了古人所謂「落花水面皆文章」的特性，蒼蠅、宇宙，都是文章，信手拈來，皆成妙諦。這種態度，助長了製作時的勇氣，糾正了「執筆凝思，苦無滴墨」的難產現象。不過，雜文的目標和手段，並不是強迫它成為雜亂無章或潑婦罵街的形式，最重要的還是在就地取材，就地理解，就地判斷的三個原則。所以，它並不是既有事

體的複述，也不是人云亦云的毫無主見的理論記錄，更不是套用公式去解釋現象的學究姿態。所需要的，在於緊緊抓住事件的核心，而隨時隨地作不同的評論或出擊。現實儘多問題在產生，關係於人類的許多大問題而形態上卻是很小的，其中所存在的糾紛矛盾卻愈複雜的，這些正是上好的雜文題材，像吐痰在此時此地的現象一樣，它本身存在的矛盾的複雜，既能產生抨擊的資料，也能產生諷刺的資料。因為吐痰這件事是屬於不合衛生的行為，可是，有痰是否不應該吐？把它吞回肚裡是否合乎衛生？這是盾矛之一；痰涎吐了出來（這是指在馬路上的時候），被指定安置的地方是陰溝的入口，吐痰者是否都有把握吐中這些渠道的入口？這是矛盾之二；有時在輪船上吐痰到海裡，也有被罰之虞，這樣說來，海也被視同陸地了，然而，吐到渠道裡，痰卻又是循陰溝流入海的，這兒，好像是鼓勵間接犯罪，不許直接犯罪，這是矛盾之三。歸結起來，便提挈出犯罪和衛生的兩個主題，以這兩個主題來做文章，正是雜文所尋求發揮，最佳途徑。

　　雜文所帶來的諷刺意義，在原則上它不能把現實的事件蔑視、敵視，而必要地對現實作善意的規諷，作建設性的獻議──這些獻議，並不一定像普通的論文那麼側重條分縷析，它不妨在內涵裡作技巧的處理，有時候隱晦的暗示，是最好的結論，側面的嘲諷，如能因諷寓的情緒所推進而顯示出結論來，這也是一種很好的雜文形象。純粹存在著一種針對現實作破壞活動的觀念，該不是真正的雜文觀念，所以，我們應該肯定地承認雜文是對社會大眾友善的──儘管是嘻、笑、怒、罵，卻絕不妨礙它的建設性的中心意識，這才是正確的雜文路線。

談小品

　　在文章的體裁上，雜文、散文之外，還有所謂「小品」。小品在文學的活動中，很早已有它底影子存在了。它是散文的形式，但是內容有異於散文，它存在的空間也與散文有著同樣的寬廣幅度。小說區別於散文的地方，是由於前者有完整的故事結構，和人物造型；人、事的演進是強烈的形象。而散文縱使其中包括有人、事的演進，亦有形象的活動，卻沒有完整的結構（這是指故事形式的組織，而不是說散文不需要事理程序的組織），它可以引申多樣的內容去表達一定的主題，同時，也可以放大非故事性的一點一滴的印象去抒寫個人的感覺。從這兒瞭解了散文的概念，便可以進一步領略小品文的內容了。

　　小品又區別於散文，當未瞭解區別些什麼之前，首先要知道的是「小品」兩字的字義；「小」，是指文章的氣度和內容的容量；「品」，則是一種欣賞的方式，這種欣賞方式脫離了科學的剖解和判斷的行為，而只著重目的物（主題的所在），而加以主觀的玩味。

　　小品是接近生活的一種遣情的作品，因為只有接近生活的東西，才值得細意去「品」。如果說，散文是生活的視聽，而小品卻在視聽之上加上味覺的接觸；小品的本身，是具備了啟發舌頭作用的條件。我們在生活上，常有小品的行為。飲茶，細意欣賞它，便稱為品茶；著棋，細意揣摩它，便稱為品棋；喝酒，淺斟低酌中還稱得上「品」，如果是大碗酒、大塊肉的

灌，離品字又遠了。從字義領略了詞義，我們可以進入特質的
瞭解階段。

　　小品是存在於生活中間的泡沫、紋痕底依戀，人們要低徊
於生活的瑣節，而對情調、韻味有所擷摘，便充份發揮小品的
調子。小品，能給人們疏導偏執與幽冷。人們不輕易地生活得
甜蜜，原因是養氣的功夫不容易做，但是，在生活上如果能體
味小品的真義，便能掌握著個性的平衡，調和著粗暴。沉著和
安詳，是小品的真諦，也就是我們所稱道的「生活藝術」。這
些現象的原因和結果也是循環的，要生活得安詳，必須有小品
的精神，有了小品的精神，生活自然安詳。那末，精神的所在
便指引我們進入小品的門牆了。

　　我們還得分辨，抒情的，是主觀存在的印象，它引導著
情緒馳向自然；小品則是客觀的尋味，它接受情感的寄託於實
質之上。一般人討論散文，卻歡迎「言之有物」的作品，這原
因是在於客觀實體的表現，容易透過多數人的味覺。印象的抒
情，只有限於一定的學養、一定的水準的人去領略；而小品便
袪卻了這些毛病，它有實質給任何人觀摩，即使感覺也有不同
之處，但至少有實在的出發點可以依循。

　　中國小品文的特質，上承明清兩代的氣韻，匯合各派的特
性而鑄造幽深的、醇正的、清雅的辭章；接受了外來的（特別是
東洋的）影響，開啟了小品文的道路。近二三十年，日本流行一
種「山水、思想、人物」的文體，他們的筆底，縱談著名山勝
景、花鳥魚蟲、生活、思想和古今人物，他們以閒談的形式，娓
娓道出眼之所見，耳之所聞和心之所想。行文之間，絕無空筆，
這些現象，便是上面所說的「言之有物」。正因為「小品」是必

須帶有玩味的精神，則作者對著山水花鳥，便不期然把它聯繫到山水花鳥的背景和有關的事物上去。這種文體，有清談的意味，所以，它是淺斟低酌的。這種文體的形式，往往顯出人們對社會或政治的一種願望，和反映時代、厭惡紛擾、趨向寧靜的一種朕兆。這中間，有著兩種不同的涵義，但是，都同一般趣的。第一、是社會由紛亂而趨向安定，人們由於心意的漸趨平順，便產生了一種清淡的嚮往，把生活的細節，佈上一種細意清淡味，藉著這種機會，抒洩事與物、人與事、人與物之間的一種關聯的感覺；第二、是社會在不安寧的狀態下，人們厭惡著紛擾，過高的願望和憧憬不可得、不易得，為了逃避現實的紛擾，便把目光移到身邊帶著寧謐的事物對象之上，具備恬靜寧謐條件的東西，唯有山水花鳥可以符合寄情的對象，這樣，便把現實生活，帶進了另一個境界。這兩種小品的產生底源流都不同，它們最後所趨向的卻是相同的。但是，兩者中間所包藏著的觀念，便有所分別了。一種是導源於生活正面的依戀；一種是導源生活正面的厭惡。這樣，作品受了生活上的感染，對事物的看法自然有所不同；對人物的感覺，也有著歧異了。

　　小品的可愛處，就在於它是生活的伴侶，因為身邊的事物雖不能改變，而人的所知和所感卻各有不同，把人生聯繫到山川風物、又聯繫到歷史文物，在人文科學繁雜的今天，它不止是增加我們的談助，而且還能增加人類的辨識底能力。解除了緊張生活中間所潛在的煩慮，幫助人們踏入思考的階梯。尤其是今日的青年，小品所關聯的思考力美人物的辨識，正足以開啟了如何思考的門戶，溝通對事物認識的道路。從這兒看，我們可不能把小品文的功能視作閒適了。

散文的欣賞與構思

一

　　學習散文，進一步的工作就是培養欣賞能力和磨練創造能力，當我們明瞭散文的地位和在新文學運動中所處的現實環境；又明瞭中國文學脈絡上血脈的直線輸送到新的身體新的細胞在新文學運動中所處的歷史環境，那末，我們在學習上便可得到相當的條理，以現實的環境和歷史的環境相配合，我們的欣賞力和創造力，當有更佳的原則去依循。

　　對一種文學的欣賞，尤其是散文的欣賞，在工作進行之先，我們得確立我們一定的欣賞目標，一般來說，欣賞的目標有兩種顯著的心情：第一種是純欣賞的心情，純欣賞包括陶醉、尋味，從陶醉、尋味中達到滿足，這是讀者投入作者環境中去的一種顯現，也可以說，是讀者的主觀把作者拉到自己所陶醉尋味的境地裡，共同達成交感的願望；第二種是為模仿而欣賞，為模仿而欣賞的心情是具備了與作者交感的情味之外，而細意分析作者完成這一藝術作品的過程、程序、情感、組織，這一種欣賞方式，與前者所不同的是情感的陶醉與理智的分析。在這兩者之間，我們便可以知道了欣賞之中有欣賞作者心靈所抒發的情態和欣賞作者的構思方法的兩種不同觀念，因此，這一個話題所具備的連環性也就更見緊密，更難把它輕率地分割。

二

　　文學的欣賞所具備的連鎖性是如此的緊密，我們在研究上的便利，不能不把它分開。

　　以純欣賞的心情來研究散文的欣賞，我們應該作為一個讀者的看法；做一個好的讀者，本來就不是一件容易的事。做一個好的讀者，無疑地就是要有一套好的讀書方法，好的讀書方法都是由經驗磨鍊出來的。目前，我們儘管在書店上可以購到不少讀書方法的書籍，但是，我們必須對這些書籍仔細估價一下，大多數出版社都有一項成見，以為寫讀書方法的人，必須是老學究，因為老學究的讀書經驗豐富，識見也有相當的穩健。然而，能夠成為老學究的老頭子，他們所處的時代，是科舉、讀經的文言時代，縱或有新文學運動以後的老頭子談讀書經驗，我們也嫌他們夠不上談文藝中個別部門的欣賞方法，原因是他們所談的讀書方法都是以一般的社會科學為對象者多。今天，我們文藝的進步，小說、散文、詩歌，已遠離了當日的嘗試時代，進入生發的階段，誰都可以明白舊的目光不能看新的事物是最明白不過的了。這裡，我們應回復到欣賞的本位了，作為一個好的讀者，主要的還是要培養文學的興趣，否則，誰也不可能成為良好的讀者，關於文學興趣的培養，普列查特說得好：「凡是使我們把握得住作家的特殊素質的；使我們能夠欣賞好好兒講出來的什麼優美的故事的，使我們有眼睛看得清風景的美麗，有耳朵聽得清楚詞句的音樂上微妙的變化和重疊的，這就叫做文學趣味。」當然，上面的話是指文學而言，不是指欣賞者而言，但是既然有了文學方面的興趣，欣賞

者的興趣自然容易求取。大凡人類都有一定的自然情感，這種情感的接觸所到之處，必然產生反應，情感的反應有多種，我不能一一列舉，把它統括起來，但可以劃成悲觀和樂觀兩種反應，情感豐富的青年期所引起的情感反應是敏銳的，他們對著萬花如錦的場面，必有反應，對著白雲滄海，同樣亦有反應，其中包括了悲觀和樂觀的不同情趣；情趣深沉了的中年人和老年人對於自然界所反射的感染，是可以憑磨鍊來抵抗的。但是，一到真實的人生畫面，情感的防波堤也不能不潰缺，而一任情感搖撼了。這是勾起情感的導火線，我們掌握了這種導火線，便可以培養文學的興趣，因為，文學所表現的，是屬於勾攝各種能夠掀起情感反應的自然或人生的現象，籍自然或人生來陶冶欣賞者的情感，這種造成吸力的法則，是欣賞者提起興趣的第一步。

在興趣培養的後面，是接受感性，剖視理性。

感性是什麼？如果斷章取義，應該是可感的性。上面說過，自然界的事物現象，可以引起的性情變化，它並不是像物理那麼固定的，那就是感性。感性的內容，最重要的就是「非物理現象」，這現象，是指同一種對象，在不同的時、不同的地、不同的人之下，便會產生不同的反應。比如說，天上有一朵雲，甲看了，勾起鄉愁，這反應是悲劇的一種；乙看了，幻現愛人的臉譜，這反應，是喜劇的一種。可是，換過了時間，換過了地點，反應可能是截然不同的，我們可以意味到具體答案：非物理現象思想進行變化，就是感性。

理性又是什麼？這兒的解釋，是承接上一個解釋而來的，理性，是排除感性的易變率，依循一定的軌道進行的常率的

一種接近物理現象的性格。我們不可忽略的，這兒所指的是「性」——人類的性格——它是不同於純物理的死硬定率，它不過是接近物理而已。主要的是在於它具備有可解釋，有可追尋的特點。理性，是通過感性的磨鍊，憑經驗的累積去抵抗感性，控制感性，壓抑感性所剩餘下來的人性現象。

把這兩種人性現象納入文學軌跡中間研究，我們對感性的接受，和對理性的剖視是完成純欣賞心情下的欣賞觀念的步驟，接受感性，等於接受文學上所描寫的現象。我們對散文的欣賞，在「散文總綱」一科中已體驗到散文的特質了，掌握了散文的特質，接受散文中間欣賞提示出來的印象，牽引到自己的心靈深處，然後，測知內心的反應情狀來辨別每一篇散文所加給於我們情感擔負的重量。其次，剖視理性，這是進一步的深入欣賞，散文的分類，以情感的為正宗，但是，我們不能單憑感情去領受文字浮面所加給我們心靈的煽動，而有必要對寫情、寫景中間的「寓意」處加以領略。領略的法則，是暫時把感性的衝動擱置，從寓意的角度作深遠的尋味，來領略作者對景物所產生的遐思。由於探求作者的思想，更因此而可以敦促欣賞者明瞭思想馳騁的方向，從而產生情感的熱量。欣賞力愈培養而愈提高，欣賞的效果往往超越出為欣賞而欣賞的範圍，它更可以陶冶每一個欣賞者的品性歸向自然，歸向善良。

三

屬於為模仿而欣賞的範圍，當然是賦予以一種任務於欣賞情緒之上，這裡所謂「模仿」，並不是說像小學生造句那樣

的仿作，這兒所說的是去瞭解作者的思想情感，行文秩序、表達、寓意等原則的模仿。也可以說這種模仿是「感觸」的模仿，它與上一種欣賞方法所不同的是前者著重在個人為出發的感性傳導，感性領受。這方式，有時間與空間不同的反應，所以，每個人感應不可能相同，每個人在不同的時間裡感應的也不可能相同，現在所談的則是以散文為主體，欣賞者為容體的方式，純然著重技術的欣賞，它包括了創作方法的結構、修辭、造句、命意，題材等項的結合，每一單位獨立處理與多數單位綜合處理的不同法則。因此，我們應該說，我們所提出的「為模仿而欣賞」的步驟，就是窺探散文寫作門徑，掌握散文寫作理則的理論。

　　散文由外來的和中國的固有影響力所造成的趨勢，已見於「散文總綱」裡，我們現在談技術欣賞，便得摒除了感性的觸發，來純然以分析作法的態度看，今日的散文創作態度已經進入到要寫什麼話，便寫什麼話，有什麼的感情，就寫什麼感情。話是常由口講出來，這是淺白的紀錄，對於散文的本身，不能說是不重要，又不能說是很重要。更嚴重的則是怎樣維繫，怎樣組織這些話成為有章法的文字，再怎樣使這些有章法的文字去感動別人。用演繹法一步一步演述下去，我們便可以發現感人的方法，非動用感情不可了，動用感情，是取決於先天的情感孕育——這，應該是文章生命未產生前的命意，一個嬰孩的出世，她不止是一團肉，裡面必須有血，胸臆間必須要有能感應，能表達的意識。於是，我們對目前的散文欣賞的門徑窺探的問題更清晰地瞭解到這一切的歷程。中國近代談論小品散文的，像清末的曾孟樸所說的：「小品文字，含諷刺的，

析心理的，寫自然的，住往著墨不多，而餘味曲異。」周作人說：「我們寫文章是想將我們的思想、情感表達出來的。能夠將思類和情感多出一分，寫文章的藝術分子即加增一分。」這些話，表明了我們演繹散文創作方法和態度的良好註腳。對於為模仿而欣賞的情狀下的欣賞者，對一篇散文的閱讀處理，便不得不放棄感性，把自己移到作者的身邊，設想了同一立場，同一想望，同一出發，來達到與作者交感，然後，對模仿的體驗力自然增加。

四

　　散文的欣賞與構思，本來是互相聯繫的，要達成構思的目的，在欣賞的步調上下點工夫，便可窺探到構思的門徑。完成構思的程序，也已領略欣賞的情趣，連環式的步調，在研究者的心情下是可以增加相當的情趣的。

　　構思的步調，主要在構思欣賞的法則，進行構思一篇好的散文，要有好的命意，散文有寫風物，寫感情，寫往事，寫人物印象，寫生活拾零等不同的素材，素材凝聚在作者的心坎裡的時候，不只要把它積聚可以寫成一篇文章的一定長度，還要積聚到一篇文章的意識深度。我們應把素材重複咀嚼一下、自己先問自己：「這樣的素材告訴讀者些什麼？」如果僅是一堆往事或一堆感情，對讀者並沒有好的影響，甚至有壞的影響，那末，這篇是好的散文或是壞的散文，在構思期中，便已得到答案了。對於命意，我們在小品散文中常可以看到寫人物印象，寫自然，寫風景，寫生活，寫往事，雖然並不是以一個完

整的故事來表達一種創作上的中心主題，但是，在作品中間總會流露著一種寓意教育作用，交織著一種啟悟作用，這是文章的先天具備的健全力量。

完成構思程序，再具體一點的說明，就是積聚素材、考慮效果，修正觀念，編排程序，進行表達。到此為止，表達的方法便與一般的文章創作法完全相通了。

文章的後天是表達，表達能否完成先天的命意使命，是寫作技術中必須多所磨鍊的技巧，上述的為模仿而欣賞的步驟，是完成表達方法的有效辦法，因為理論上的指引，大都是原則性的，一般技術上的工作都著重實習，散文寫作的實際揣摩，還是在於模仿的欣賞。所以，我們所必須做的學習工作是把模仿的、揣摩的所得來印證於我們的構思的理論，然後求出領悟的答案，這種學習精神，是必須具備的。

散文的沿革

　　中國的散文，本來是一種包羅很廣泛的文體。自來，一般人對文章的意念就只有兩種：一種是韻文，一種是散文。韻文是有韻的，散文是無韻的。這種分類法並不重在內容而是著重形式。比較有規律而接近現代的「散文」界說，還是始於唐朝。文學史上中國有過一次最有意義的文學革命，那是唐朝的韓愈所提倡的「化駢為散」的運動。這一運動的導源，是因為駢文的進展，已到了牛角尖，抒寫的範圍也愈來愈窄，文章不重內容而重辭藻，韓愈所提出的口號是復古──重走秦漢文學的路線。秦漢時代文學是重在表現，時代和社會的背景造成了這一時期的文體沉雄壯美，而韓愈的「復古」底最大目標卻在於盡情的抒寫、盡情的發揮。所以，我們說他的革命口號是復古而實質卻富有開創性，不過他是抓緊了秦漢文學的一點依據而向前猛進而已。和韓愈同時有很高的成就的柳宗元，也是當時革命運動的健將，兩人的表現卻有著不同的格調。韓愈是單純的儒家思想，而柳宗元所讀的書比韓愈為多，他所吸引的思想也比韓愈為寬。所以，柳的思想是以儒家為中心，旁及其他的如釋、道等思想。韓愈的作品，以抒情式的最佳，〈祭十二郎文〉是他的代表，柳宗元成功於寓言與遊記，像〈郭橐駝傳〉、〈梓人傳〉、〈三戒〉及描寫永州、柳州等地的遊記，都是深入的作品。

　　唐代的散文，無形中包括了寓言、遊記、敘事、抒情等

項，它的面積仍是廣泛的，不過，已經越過了原來的有韻與無韻的分別。這是由於小說的產生，小說獨立成為一種文體，由於化駢為散，駢體的辭賦，又被劃為獨立的一種形式，散文漸趨於專一化了。韓愈以後，他的學生李翱、張藉、皇甫湜等人，雖名噪一時，但不能發揚散文的優點，至唐末的陸龜蒙、羅隱等人以後，散文顯然衰落了。

　　唐以後，文學直接受政治的影響，宋元的詞曲，逐漸形成了堅強的文學體系，而成為公認的正統文學，在彼消此長的情況下，散文顯然不能和詞曲平衡發展，在表現上完全給突出的詞曲掩蓋了。直到明代，由於學人的從政，散文在劉基、朱濂、王褘等人的倡導下，又漸見抬頭，明朝由動亂到安靜，散文的趨勢，也因時勢的不同而表現出不同的格調。大概亂世的作品，好處是慷慨激昂，而壞處就是雜亂；治世的文學作品，好處是清醇雅正，壞處是平庸。楊士奇秉政，文名也因做了官而特別顯揚，和當時的楊榮、楊溥共稱為「三楊」，「三楊」的文章便代表了太平盛世的清醇雅正的作品，由於清醇雅正所產生的平庸現象，引起了又一次「復古運動」——這「復古」與韓愈的「復古」有顯著的分歧，韓意的復古是主張文章的寫作範圍放寬，而這次復古，是主張文章有更多秦漢的沉厚氣概——自李東陽提出，接著李夢陽、何景明、徐禎卿、邊貢、康海、王九思、王延相等七人呼應於後，號稱「弘治七子」，倡言「談文必學秦漢」，其他一切都在唾棄之列。這種沒有創造性的復古，為同時的王慎中、唐順之所反對，散文的途程便形成了兩個不同的宗派，其中以王慎中等人較有成就，後一點的歸有光——便形成了抒情散文的脈絡。繼續了「復古運動」

的餘緒的，還有後七子（嘉靖七子）的李攀龍、王世貞、謝榛、梁有譽、宗臣、徐中行、吳國倫等再度提倡「上師秦漢」的復古。由於當時的散文成就掩蓋了他們的復古運動，所以，「復古」起不了多大作用。

前後七子之後，又有袁宗道的「公安派」、鍾惺、譚元春的「竟陵派」繼起，都是一種大眾化的文學運動。不過，在士大夫的心目中，大眾化的危機，遠較復古的危機大，加以兩派本身逐漸流於空疏，也就歸於沉寂了。還是歸有光的散文沉厚流暢，留給一般士大夫和庶人以深刻的印象。

清代的散文，也是由於明朝的遺老所流傳下來的，他們利用散文來抒寫亡國之感，沉痛哀怨，形成了一種散文的正宗——抒情的體制。其中以王猷定、魏禧、侯方域等人為著。魏禧、侯方域再加上一個做官的汪琬，被稱為「清初三家」。明朝遺臣中錢謙益、吳偉業、龔鼎孳三人被稱為「江左三大家」，可是，人們鄙棄於他仕清，所以，對他們的「文品」，便有另一種估價，在「華而不實」的評語下，壓低了他們的地位不少。

清代的散文，在在發揚光大，不像宋元時期的黯淡，散文的流派，以「桐城派」最盛。「桐城派」始於方苞、為姚鼐所發揚光大，出於桐城派散文的清雅醇正，開闢了現代散文的路徑，清末的曾國藩、吳汝綸、黎庶昌、林紓等人；都傳導了「桐城派」的精髓到現代的散文中間。

和「桐城派」抗衡的，有「陽湖派」，以惲敬為領袖，亦以淺近平易為依皈，但，終敵不過桐城的「改組派文體」。清末民初，康有為、梁啟超的不守常法文體，也是今日散文演變

的伏線，其他的散文作家，像南社諸人，在文學上有大影響，在散文上則沒有多大影響，這兒也就不多贅述了。

踏上新文學運動的途程上，散文的成就，格調上是要比小說、詩歌為高的。那時，散文的定義，仍然依循著晚清的路線，南社的文士們，依循著舊有的，接受了外來的，給他們發現了一條浪漫的路子。但，他們是一個鼓吹革命的文學團體，文學上的表現便給其他方面掩蓋了，因而作品便沒有什麼可以流傳的了。五四運動高潮過後，周作人提出了「美文」的呼籲，他說：「論文大約可以分作兩類：一、批評的，是學術性的；二、記述性的，是藝術性的，又稱作美文。這裡邊又可以分出敘事與抒情，但也很多兩者夾雜著的。讀好的論文，如讀散文詩，因為它實在是詩與散文中間的橋。文章的外形與內容，的確有點關係，有許多思想，既不能作為小說，又不適於做詩，便可以用論文方式表現它」。同時，魯迅也開闢著雜文的道路。周氏兄弟在中國新文學途程上總算替後人開闢了一條坦途了。

周作人所說的「美文」，就是現在所稱謂的「小品文」，但是當時他所開創的，與抒情散文是一而二，二而一的一種文體，魯迅的雜文，本來也是同一源流，不過魯迅的文學帶點戰鬥性（火藥味），專以社會上的典型作諷刺的對象，而周作人的則以抒情式的記敘，間中雜以批評的口吻而已。這種文體的淵源，近一點是來自日本，而遠一點則又是中國的土產，來自日本的則是日本文學界所流行的「思想、山水、人物」的文體，這是一種清淡風雅的小品體裁，脫胎於中國魏晉時期的清淡作風。這一流派，演變而成為現代的小品文，另一種辛辣的

所謂「有刺的玫瑰」的作品，又成為今日的「雜文」，而餘下來的抒情底，帶有哲思底行文方式，才被稱為正宗的散文。有些人接受了歐洲的文學影響，把帶有詩情的散文又稱為「散文詩」，這兒，我們為了適合中國一貫的稱謂，我們把它也歸入抒情而帶哲思的「散文」中間去。

　　新文學運動以後的散文，最蓬勃的時期正是「美文」興盛以後的那一段時間，魯迅介紹了日本作家廚川白村的小品《出了象牙之塔》，便造成了小品的興盛。「小品」本來是隨隨便便看見一些生活上的常也揉和著一時間的感觸，淳樸地、率直地，不儼然地擺架子，又不玩邏輯的死樣，這就是西洋交學所謂 Essay（短文），由於外來的與中國固有的調和，便產生了：一魯迅的辛辣的雜文；二林語堂的 Humor（幽然）及 Pathos（悲憤）小品；三周作人的生活隨筆；四朱自清、俞平伯的抒情散文。其間，流傳下來給許多人爭相傳誦的，魯迅底作品著實不少。周作人底淡遠的代表作有《自己的園地》、《雨天的書》、《談虎集》、《談龍集》、《澤瀉集》、《永日集》、《著雲集》及《藥堂雜文》等；纖巧綺麗的有朱自清、俞平伯、徐志摩等人，朱自清的〈背影〉，朱和俞各有一篇〈漿聲燈影的秦淮河〉，都是不可多得之作，徐志摩的作品，總帶點英法詩質，《志摩與陸小曼書》便顯出了他的散文才華不少；林語堂、黃嘉德這一派，是幽然派，他們的作品，市面仍有出售，都能表現出令人既痛又癢的感覺；此外，許地山、謝冰心、豐子愷等人，走清婉的路子的，作品也很感動人，其中許地山比較練達，豐子愷思路寬廣，冰心則僅有天真這一優點而已，以今日散文的進展來，無疑地，冰心等人的作品已不見得高明了。

散文演進到今天，前路是平坦而寬廣的，因為前人已經替我們做了開闢的工作。

　　有些人以為學散文是很容易的事，這是指「入門」的步驟而已，因為「入門」是打好文字的基礎，它底步驟，首先是表達客觀事物，其次才表達主觀的願望，最後再上一層階梯，去窺探思想的視界，到了這一階段，是進入比任何文體因難的一環，近代少有一氣呵成而有深度意境的散文，原因就在這裡。我們學習散文的朋友，也得向這方面進軍。

談談「雜文」

　　雜文的特質，是具有批評性的。所謂批評，是包括了抨擊和建議。一切論文，他們所採的態度是正面的，是把抨擊和建議的意見紀錄出來，在文字的本身，如果說它是有技巧的，那末，它的技巧是在於既有的意見秩序的敷排之上。這種方式，距離文藝的道路還很遠，這正是我們上面所說的應用文（工具文）是早已與文藝絕緣的，但是，雜文又有些什麼不同呢？這些地方，是維繫於雜文家筆尖底下的表現技巧。雜文的表達，通常是針對某一事件而發，所以它不可能像散文那樣太空靈，又不能像論文那樣太刻板。因此，它所走的道路正是在上述兩種情調中間的路線，古文家有所謂「曲筆」，是把習慣上的意識趨向違拗過來，或把既有的定論翻案，雜文在某種場合之下，為達成幽默諷刺的任務，它是不惜引用「曲筆」來完成抨擊的目標的。這種「曲筆」，並不一定是悖理的，反常的，因為它具有反面之反面就是正面的根本意識。這一來，這種「曲筆」是手段；和古文家的「曲筆」的目的就微有不同，這是方法之一。雜文的隨感性遠較散文為強（這是指文意中的理性部分），善寫雜文的人常有正、反、分、合的辯才，原因是由於一個事件呈現在眼前，便立即需要引起反應。雜文的反應是熾烈的，就事論事，便要有正、反、分、合的識別，利用這些不同的觀念來提示給讀者作事件趨勢的選擇，這是方法之二。

　　雜文的題材，由於它是隨感性的就事論事方式，所以它

是入世的，它不像散文那樣的空靈，那麼清超拔俗。那些題材的捕捉，可以說俯拾皆事，通常容易被引用為題材的，都是些日常生活常見的現象。這種種生活上的現象，包括了人們的愛、憎底糾紛，人事的衝突，事業的牽纏，金錢的損益，道義的干擾，德性的隱現……由於生活圈子所及，舉凡政治上的設施，宗教上的信仰，甚至都市裡的車禍，人龍中的擠迫都是上好的題材，無一不是站在超然的地位而發言的。因而，它有時是會討論時政的，可是，它的內容絕不是扳起臉孔來寫的政治論文，而它的本身，卻可發揮政治論文的長處。雜文取材和發揮，幾乎是綜合所有文體的長處而運用的。多數的使用方法，是兼具了（A）分析的、（B）抨擊的、（C）引證的、（D）考據的、（E）寓言的。這些內容之在雜文，並不一定要像學術論文那麼著力地搜求十足完備的證據來進行演繹或歸納，以分析來說，它允許人們只分析一面（如認為足以達到解釋主題的話）而不必斤斤計較的去分析全面。以考據來說，它也不一定要搜羅過多的古物或古書來參酌紀年，校勘主體，只要找出一點足以解釋目的物的根據，便可進行。歷代的古文中，〈捕蛇者說〉、〈賣柑者言〉、〈種麻篇〉等，都可以列入為雜文的典型，近代的雜文，比較著名的如魯迅的〈論雷峰塔的倒掉〉，就是一個好例，它兼具了考據、抨擊、分析、寓言的優長，就白素貞被壓在雷峰塔下的故事來發揮婦女解放的道理，便是掌握一點而發言的例子。近人的雜文，堅實的比較少，虛浮的多，原因是由於多數人不去注意研究和發展這一特殊的新文體所致。

　　雜文的發展，是產生於混沌的時代，由於政治上的限制，言論往往被圈在既定的範圍，不容易縱情於所欲言，雜文這

一方式便被利用為發洩憤慨的利器。所以，它的最初的形式，是很含蓄地去抨擊當時的現象，目的是在諷寓當政者或當事者從事善良的改革，這一時期，是文學革命運動後五年至十年之間所產生的現象，雜文的滋生，是憑藉著這種動機而啟悟出來的。進一步是抗戰時期，中國面臨著民族的生存延續的關頭，一切都服從於抗戰，所以文學納入救亡的軌跡也是很自然的，由於戰時的流動性過大，文學的趨勢是動的機會多，靜的機會少，文學的製作，巨型篇幅的作品（如長篇小說、長詩等）是比較難產的，唯一適合的便是雜文。作家們可以利用流動著的時間去生產，報刊登載也較容易，抗戰八年，助長了雜文的成就。勝利後全國都在不規則下繁榮，雜文也發揮過一些本能的力量，無如社會的頹風積聚太深，已不是雜文的力量所能負擔糾正的任務，而整個社會的沉淪反把雜文的時代掩蓋，雜文的威力，於此受了絕大的頓挫，善良的人類，也便沉鬱地迎接危難。此後，文學藝術的流徙，像意大利文藝復興期一樣，君士坦丁堡的陷落，一群東羅馬的人士流亡到西羅馬去，使希臘羅馬的光輝，照耀在伸展入地中海的意大利半島。而今天整個大陸的文化人的南來，把以往文壇上的精神在這荒蕪的土地播種，雜文的再生，這畸型的都市和五方雜處的人群，正是發揮雜文而給予墮落頹廢者以強烈影響的時候，雜文的運用，實宜打破了十年來的沉鬱。今日海外文壇，能代表自由創作的地方，都偶或有辛辣的雜文出現，但是，這些仍是個別的現象，並未普遍地發展，總覺得是美中不足的。

新詩篇

「詩」底革命

　　由於文學是我的「本科」，「詩」，站在門外的我，也常喜歡談談。上期《學友》有一篇〈新舊詩藝術價值比較觀〉，徐速兄抱著「復辟」的心情發表這篇文章，讀了之後，掀起的感觸可太多了。

　　這兩年，我曾經發表過不下十來篇關於「詩」的討論文章，朋友中有的說這件事不談為好，他們所持論的有些是新詩革命革了這麼多年，還革不出一個頭緒，所以，不談勝於胡謅；有些則以為人生就是一篇詩，不論「天呵！你是蔚藍的，夜呵！你是漆黑一團」，甚至「月色溶溶夜，花陰寂寞春」等都是詩的廣義看法；有的說古詩的好處，難以言宣；有的說，既然「革」不出道理，乾脆學外國十四行體，省掉了形式、音韻的爭論。

　　但是，我們須要嚴肅地面對這一個文學的重要環節，實在不能採取「算了吧」的態度的。

　　去年，我曾經寫過一篇〈從古與從洋〉，我以為從古，固然失掉新詩革命的意義，而拋棄本國的「古」，去從外國的「古」，同樣是「以暴易暴」。

　　我不反對別人學古詩，但，我反對今日新詩的復古運動。我們首先要曉得「詩為什麼要革命」這個問題。讀近代文學史，誰都曉得詩的革新，是跟著「五四」的文學革命而來。文學到底「革」些什麼「命」？答案應是文學「革」那些艱澀，

古奧與及特定的形式的「命」，因之，詩的革命，也就和前面的道理一樣的了。

文學革命包含著一個永恆的精神，那就是現世紀的人用現世紀語言來表達現世紀的思想，抒洩現世紀的情感，如果忽略了現世紀的語言及情感，我們所致力於文藝上的工作將要白廢了。因為我們相信了形式格律，以為唯有圈在這一個小天地裡的東西，才有別於常人的語言，造成了一種「唯詩人至高無上」思想。

有人主張靈感（天籟）即是天才，而詩人是天生成的，非人力所能造成的，故作詩是不輕易的——這不輕易是指某一種人的不輕易而不是指某一種情感之下不輕易——這一來，韻律的作用，冥冥中變成了維護詩人桂冠的一種護符，詩的地位，便和常人隔絕在一堵圍牆之內。

但是，我堅決相信靈感（天籟），是由於後天對事物的領略，觸發了高尚情緒的結果，是表達最高的律動，最高的情操。其實，這些仍是常人的語言，所不同的則是分辨於情操上而已。

我更相信，韻文不一定是詩，記得三年前，我寫過一篇談詩的文章，裡面引了這麼一個故事，那是兩人的對話：

「貴姓名？」「譚煥玲，」

「住那裡？」「寶華正，」

「做盛行？」「賣眼鏡。」

相信韻律的人應該感到遺憾，為的是韻律對情操的幫助很少，如果一定要說：詩必須有韻律，那麼，也應該說有韻律的必須是詩。假如這兩句話後者不能成立，那麼，就難怪我們反

對韻律來束縛詩的見解了。

也有這麼一個故事：

古時作對子，也是屬於詩學範圍之一，有這麼一個對子：

「一群征雁天邊過。」

這個對子，按照天對地，雨對風，塞北對江東的老方法，先把「一行」兩字對出個「半隻」再併上「征雁」的相對字眼，對了「燒鵝」二字，「天邊過」三字，則對上「地上行」，合起來便是「半隻燒鵝地上行」。要是我們從機械的格律來衡量，這一字一字的對，應是上好的對子，可是，在情操上，事理上則是不通不塞的臭東西。可知，詩，這東西，一方面不可能是先天的「天才」；另方面又不能靠格律來維繫詩的成份，實際應該是純粹的自然音響的抒發。

普列查特說：「韻文律動並不是為要造成美好的效果或是愉快的聲音而附加於表現著思想的平常的言語的人為的『律動』，卻是因需要而發展好的自然的方式。」這，明白地說出了韻文的律動，不是為了配屬於詩而是因詩自然而然地響出了它底律動。

韻律，對於詩是「著跡」的累贅，我們應該回頭看看，詩學鼎盛的唐代，詩人在嚴格的韻律下周旋，刻意求工地無非想把詩成為一般人所不易著筆，有別於一般人所不易著筆，有別於一般即使能顯示情操而未能鑽通格律圈套的地方。我個人相信，詞學的興起，其一是厭倦於詩的呆滯，因有長短句的出現；其一則相信是揚棄格律的劃時代底革命行為。再進一步認識，詞在當年是創作的，不是「填」的，由於第一個詞牌的出現與風行，人們便開始模仿，乃有「填詞」這個名稱出現，久

而久之成了體制，成了格律。也由之乎一個革命集團再踏入獨裁專制，喪失了革命初期的民主自由的許諾一樣。

　　自然的律動一如天馬行空，有別於人為的律動。記得讀小學時課本多的是有韻的歌謠，兒時能夠瑯瑯上口，全由於韻。拿高尚一點而沒有韻的東西向普通的人探求情感的反應，可能是失敗於沒有韻腳。但拿到深沉的有坵壑的人看，情感的反應將會不因沒有韻律而鄙棄的。這裡，又説明了韻律僅是幫助情操淺薄的文字成為詩，而不是這文字的本身成為詩。匠人流傳下一句成語：「無規矩不能成方圓」，要表現方圓，必須拿出曲尺或三角板及圓規，但是，一個有意象的畫家如果拿圓規來畫中秋的月，拿三角板來畫九曲迴欄，那將變成建築公司的工程師，而不是創造意境的畫家了。

　　隨便談來，突破了編者所限的字數，還有許多關於「復辟」的個人意見，只好改天再談了。

從韻律到民族本位
——再談新詩的基本問題

　　每逢寫文藝理論的文章，我總惴惴然恐怕闖禍，因為我曾指摘一位作家那一句「太陽隨落日歸去」而給這位作家在我的朋友面前大罵我不通，不懂什麼是「感性」，不懂什麼是「主觀色彩」，這回談到徐速兄關於詩的問題，幸好只是些微差別而已，看在熟朋友面上，相信不至於怪我喋喋不休吧！

　　研討一個問題，我以為頂好不轉向牛角尖去，像「貴姓名，譚煥玲」的例子是不能完全代表韻律，但，它卻造成了對韻律的偏見，「無韻不成詩」，這是近日詩壇的一種固執。至於「冬！冬！冬！黃龍要出洞！」也是不足為例的例子。也許徐速兄忽略了我的見解，我是指韻律的作用在於「為詩人至高無上」的情況之下來區別常人的一堵偏狹的圍牆而已。

　　在中國的文學史上，明顯地表明了文學的變革的癥結，從《詩經》到《楚辭》，從《楚辭》到漢賦，其間的變革，是漸變的，形式的變更，有比較重大轉變的是《楚辭》與漢賦之間，《楚辭》仍然是詩的體裁，而漢賦則已踏入了文的體裁。轉變的因素，應該是章句的束縛，然而，賦體雖然屬於韻文性質，在法則上已沒有楚辭那麼晦澀。任何一種東西，它的初期一定是簡單的，漢賦漸漸進入駢文的階段，有所謂「四六」文體，作家都注重句法的交錯，對偶的工整，又走進了牛角尖的境域，往往矯揉造作，堆砌成篇，沒有豐富情感與充實的內容。

駢文到了這一個地步，也猶之乎近代的古詩詞，到了晚清，給「八股」的詩潮所吞噬，雖有王漁洋、袁隨園等人下了一點工夫，然而，始終未能蔚成風氣，自然而然地招致了客觀的要求──革命。我們虛心一點看駢文被革命底癥結所在。韓愈所提倡的「化駢為散」的號召，在他所呼喚的初期，也並不見得十分響亮。後來由於文學與人生更見接近，則束縛筆端的嚴謹的格律，便感到是一種多餘的東西。此後，柳宗元、李翺、李漢、皇甫湜及宋代的曾鞏、歐陽修、王安石、蘇氏父子等變形成了文體革命，散文的開創者「唐宋八大家」。

今日的新詩運動，也猶之乎唐代從駢文到散文一樣。我們正是今日的新詩運動，未如理想的固然很多很多，而理論體系不止未有具體地形成，而且仍在黑暗中摸索。有許多年輕朋友提出了什麼體，什麼體，這種嘗試，在勇氣的評價上是值得鼓勵的，但，在新詩革命的途程上，仍將是一種「以暴易暴」的束縛。

不久之前，跟趙滋蕃兄談起新詩的問題，我知道他正創作一篇數千行長詩，碰頭的當兒，他正在看校樣，我意外地優先讀了其中的一段，便又掀起了許多感想。那天，他曾對我說：「新詩仍是應該有韻律的，譬如一種球類運動，必須有一定大小的球場，怎樣怎樣的規則來限制運動員在其中顯現更優越的天才。」他又說：「是中國的詩人應該寫出中國的詩。」對於後者，我倒十分贊同，前者，則覺得並不十分滿意，因為運動場的理論和寫詩的理論有著本質的不同，誠如踢足球，不依規則去踢人，可能弄出人命案子，劃定球場和制定規則不能和「詩場」的韻律比，也等於一尺不能和一斤比一樣。新詩的動

機在於創作者的思路自由抒抑，一放一收，一瀉一止，如果限於七字或五字，限於平聲或仄聲，這是一種必須祛除的累贅。當然，它底自由節奏必須存在。比如一個人平時說話，演講，也有它底自然的抑、揚、頓、挫。這抑、揚、頓、挫並不是有意去刻求的，而是造成了一句語言所必然包含的節奏，行文於不求工而自工之間，才能顯現一個詩人的天衣無縫底才氣，才是沒有斧鑿痕跡的上乘作品。

關於「中國人寫中國詩」那句話我倒有一談的必要。

前些時，我曾談過新詩「從洋」的危險性，大多數青年朋友讀了一些西洋輸入的作品之後，便從事模仿，同時，從事翻譯的人，再介紹西洋作品時，由於詩的翻譯之難，而不倫不類的選譯，使到讀西詩的人增加了若干誤解，以為凡是晦暗的，難明的才是詩的意境。而有些寫詩的人又故意神秘起來，寫出了令人無從觸摸的句子，使人對著難以解釋的作品時而有「高格」的感覺，這，不知是詩人的罪過還是詩本身的罪過？

文學革命的基本精神是建立人人易懂的文學。在古時，白居易的詩便有著這種作風。所謂平白易懂，它必須具備著一種民族的基本精神和特性，換句話說，它所包含的有東方民族的氣質，希臘文學也有希臘文學精神，羅馬也有羅馬的精神，是則，中華民族的文學便應該有它底固有的道德律與及內蘊的沉豪作風。

談「劇詩」

　　近人論詩，比較中肯的還推朱自清的說法：「啟蒙時期的詩人，白話的傳統太貧乏，舊詩的傳統太頑固，自由詩派的語言，大抵熟套多而創作少。境界也只是男女和愁嘆。」我在去年的《學友》第二期，已寫過一篇〈談秋月與文學情緒〉的文字，對於「境界」，曾用粗淺的語氣稍為提過，我們的詩人在「詩境」上做工夫的似乎很少，大抵由於視野「島國化」吧！（原諒我杜撰了這個名詞）屈羅亞之戰，荷馬（Homer）對斯巴達王梅涅拉司之妃海倫（Helena）的爭奪，創作了偉大的長詩，刻畫一代王朝的尊榮與愛情底困惑；與我國的唐明王楊貴妃故事同出一轍的，也有白居易的〈長恨歌〉，可見一章偉大的故事詩的形成，是要通過偉大的時代，和偉大詩人的筆觸，才能成為偉大的作品。

　　長篇敘事詩在中國，藝術地位是十分輝煌的；在外國，如但丁的《神曲》，莎士比亞的《哈姆雷特》，哥德的《浮士德》，都是偉大時代的偉大手筆。中國的敘事詩能與《神曲》、《浮士德》、《哈姆雷特》的神韻情調比並的，應推〈兵車行〉、〈折臂翁〉等作品。只是，中國的敘事詩本身具備了「劇詩」的條件而沒有劇詩那一種形象。我們很容易浮起《雙城記》那一句話：「這是偉大的時代」，因而，我們仔細地推敲新的詩人已經產生，站立起來了，而我們面對偉大的時代，「劇詩」的產生應是很自然的現象。

前天，看了趙滋蕃兄的長篇劇詩《旋風交響曲》，便不期然的腦海裡迴旋著「劇詩」這個問題，誠如「亞洲出版社」的編者所說的「這是一個勇敢的嘗試，一股開路的旋風」，我們感到採擷大時代澎湃如狂潮的題材入詩，正是一種對新詩發揚光大的工作。

我又不期然的從腦海深處掏回了《浮士德》的劇詩底影子，哥德在《浮士德》上的序劇一章中借詩人的口說出了如下一段話：

> 天賜我以至高無上的人權，
> 豈能為你作無聊的消遣！
> 詩人以何物感動人心？
> 詩人以何物征服世界？
> 豈不是以這由衷橫溢的
> 吞吐大荒的和諧？
> 「自然」空自繅長絲，
> 百世不易地在紡錘頭上運轉
> 萬類只是喧囂雜噪，
> 百無聊賴地互相擊攢。
> 是誰區分出這平勻的節奏，
> 永恆生動著一絲不亂？
> 是誰喚集萬散而成一氣
> 調和高雅地鳴彈？
> 是誰使狂風暴雨驚叫怒號？
> 是誰使落日斜暉散成綺照？

是誰投美麗的春花

於彼情人並步的中道？

是誰織彼無心的碧葉

而成榮譽之冠冠彼人豪？

是誰奠定峨嶺普斯之山聚集神祇？

人生之力，全由我們詩人啟示。

　　從哥德的詩章中諦聽到詩的世界底音響，當我們漫步今日詩壇，深覺得風雷驚呼怒號的狂颷時代，一直未曾親近詩人的影子，換句話說，大作品題材擺得太多在詩人的目前，詩人卻低頭尋味他底小圈子的情感，《旋風交響曲》中的一句「望遠鏡中的世界何其遼闊」，「我只知道：極大的世界和極小的世界息息相通」。這是詩人所創發的境界，別忽視這是情感上的掀動，愛因斯坦說過「宇宙之外無窮大，核子之內無窮小」，科學家的理性和詩人的理性也是相通的。從這裡可以找出詩境並不像象徵詩派的人所感染的虛無幻覺，我們更可以接受了劇詩的形象化底觀念。

　　人們對於商籟體的介紹，那些藝術崇拜者都勇於向這方面鑽。普列查特說：「由於它那十四行的限制，它的『曲折』以及多少嚴格的韻的典型，它把一個固定的框子給予著那生怕自己的思想控制不住的詩人，使他能夠在那框子上更自如地構成圖案」。這是藝術狂所賦予自由體詩的一重枷鎖，趙兄在校閱《旋風交響曲》時曾和我談過這個問題，他也以為有一種格律是好的，可是，從他的劇詩中，找到了答案了。西洋文學中抒情詩本身所發展的更加工的韻文形式，如民歌（Ballade），迴

旋曲（Rondeau），二韻八行詩（Triolet）等，就意義和重要性來說，商籟體就超過了這種種。不過法蘭西文學在枯燥的形式主義特徵的時代，這些韻文在法國是很發達的。但，英國則並不真正流行。這一來押韻與結構的複雜嚴謹，使素材屈居到第二位，商籟體的可悲處，往往踏上初學寫作的人底覆轍——以辭害意的陷阱。劇詩的寫作，可以說素材並不會屈居到第二位那麼可憐，因素材所啟示的意境，不，聯繫到的意境，也就不該讓模糊的幻象所掩蓋。

新詩人正努力地抵抗「復古」運動，但是像商籟體的輸入，使不復中國古的詩人卻去復外國的古，新詩的「從古」（中國的古）與「從洋」（外國的古）問題鮮明地擺開。我們盼望劇詩形象化的來臨，使藝術與素材並重，免詩人的思想在狹隘的模型中壓出模糊的影子，使我們的詩學不致成為一種抽象的藝術或者是一種無思想性的韻文。

詩與美感

一

西方美學家對於詩的估價，常以古典色彩來對這個問題作衡量的基礎，他們以為詩是藝術中最豐厚的，亦是高出於藝術中的其他各個部門的。詩被視為高貴的文學環節，東西兩方面的見解都有其一致的地方，這共通點，是基於古典色彩濃重中成為相通的理解，東西詩人都會對自己的良心，對自己的行為與一切生活的活動水準提高到哲學的境界。朗琴納斯 Cassius Longinus 說：「崇高是偉大的回聲」（編者按：Cassius Longinus，今通譯朗吉努斯，文藝批評家，著作有文章〈論崇高〉(On the Sublime)），他以「天馬」Pegasus 來表示詩才，這是西方美的概念登上崇高博大境域的明徵，而東方美的界限也擴拓到西方美學概念的同一境域。我們常以「天馬行空」來表現崇高的靈性，渾成的觀念，我們同樣趨向於「採菊東籬下，悠然見南山」的空明底理想。對於「天馬」的希臘神話，我們可以理解西方對文藝的靈魂底看法，「天馬」是無邪地漫遊在愛麗琪山谷，自由自在地飲著希坡克靈的清澈泉水，「天馬」（詩才）的生命絢爛，使九位繆司流連愛麗琪山谷舉行文藝晚會，自從天馬給魔鬼駕馭去了，愛麗琪變成了荒涼的山谷，希坡克靈便乾涸了，銀色的爆光和銀色的音樂都消失了。中國對於「詩才」或「文思」的神話，往往會比西洋的更現實，

江淹在夢中接受了一枝筆，此後他便才思橫溢，完成了許多作品，直到再一次夢中被那人取回了那枝筆，便沒有好的作品產生了。中國的名勝，傳說中與文藝有關而比較具體的其一是洛水，其二是巫山，其間多少結著「詩」緣，這些故事足可代表東方的美學思想，但凡可仰不可即與及動人情處的過去事蹟，都啟導著美的觀念，洛水的故事是「才子」「佳人」的戀歌，而巫山故事則是帝王所憧憬著的美底觀念。中國的美底觀念，早已超越了倫理、禮教的舊有枷鎖，這說明了美學概念對人類精神的引導激越亢奮的，前進的而不是萎靡的，洛水所歌頌的是女神宓妃，巫山所傳播的也是女神的故事，感人之深，有著同等魅力。在四川東部的巫山，那十二峰留下的神秘色彩，每使遊覽過朝雪峰、望雲峰、翠屏峰、松巒峰、集仙峰、聚鶴峰、淨壇峰、上升峰、起雲峰、飛鳳峰、登韶峰、聚泉峰、神女峰等地的人，都蒙上一層感人的霧幕。十二峰的所有的故事，都聯繫環繞於神女峰的四周。這些故事，說明了中國古帝王是任何人不可企及，美滿生活的代表，而他也追求著他所憧憬的空濛奇幻，自然這是最美的信念了。中國美的信念，與愛的信念是緊密聯繫在一起的，而今日世界全人類都承認而且鼓勵追求的愛，在更早的中國，便已發展得完美而博大，精神生活的領域的寬廣，正是美學觀念所加予的助力。

二

人們對詩人筆下人物性格的升動、明確、完美底法則，常以為這些都不是個別的人物而是一般的典型，我們自然同意這

一估計，因為詩人對於事物瞭解力必須如照像的底片，它的感光力強，自然可以反映出客觀的事物，這是詩人底感性，「感光」，是反映，是客觀存在的個體的反映，這種感性，便跟一般人所相信於詩人的地方有著若干的距離了，因為大多數人所相信於詩人的是強烈反映人物的典型，而不是反映客觀的個體。這一來，無形中表明了一般的典型有著詩人的主觀成份在內，於是，我們對於美學上所交織著的主觀、客觀、感性、理性的問題便有著模糊不清的感覺了。形而上學所討論的問題核心，總以為一般即是個別的暗淡、僵死的抽出物。就詩來說，一般的形成，應該是個別的明朗點與個別的生動點的集中，所以，我們不能同意於上述的個別暗淡、僵死的抽出物的解釋。

由於這些原因，堅定了我們對詩學，對美學的信念是詩與美，不是終止於感性的面前，因為感性所加於詩與美的，是一時的概念，不能持之永恆的。詩人之需要有強烈的感性，其作用在於在瞬息間捕捉住他底稍縱即逝的觀念的泛現，紀錄他激越的情感分子，這些感性，便早已服膺於理性中間了。我們曉得，詩人有強烈的感性，為什麼詩人能辨識這強烈的感性是形而上的或是形而下的呢？這一點，正是詩人必須持有的感情敏銳，同時又是詩人所特有的理性敏銳來指導感性的選擇。因此，我們可以說，一般所稱感性，早已包括了理性的成分在內了。在詩的形象的一般性中，許多人看到了超過現實生活所呈現的人物的地方。這樣的意見，是根據於一個創造物的一般意義和它的生動個性之間的假想矛盾，根據這個假定，以為在現實中「個性化」的時候，一般就失掉了一般性，而只有憑它的力量，剝奪了個人的個性，才又重新升起。這樣的說法，往往

使人覺得矛盾、凌亂。現在，我們只能作這樣的解釋：詩人所採擷的一般性的事物對象是經過選擇的，而這一般性，是存在於許多個別的個性的綜合中間，個別的細節是絲毫不會減損一般性的意義，相反，它會使一般性的意義活躍和擴充，進一步，說明了感性與理性的綜合才能完全達到崇高美的願望。

三

　　主觀與客觀的問題，是緊隨著美學的感性與理性而來，感性是主觀的、是存在的，理性是客觀的、思維的，但是，在若干適當位置，則感性卻包括了思維的成分在內。美，是願望的、選擇的，美，通過了感性，取悅了感情，因而使人曉得這就是美，而主觀的活動，卻已先感性而作著它特有的活動了。詩之企圖給予它的形象以生動的個性，就正承認了個人巨大的優越性，在詩人創造性格的想像面前，通常總會浮現出一個實在的人的形象，而詩人會有意或無意地在他的典型性格中再現這個人，這是主觀選擇的明證，但是，我們又不能抹煞了這個人曾有客觀的存在。西方美學家對於這個問題，曾有過這樣的論列，他們說：「一方面是習慣，一方面是一種喜愛獨立，喜愛『創造而不摹倣』的人之常情，迫使作者改變他從生活中取來的人物，把他們描寫得比實在多少不同一些。」這兒可以看出詩人對主觀與客觀所交織的問題核心，在於怎樣達成主觀的創造與客觀的摹擬的異同。我們平時總相信這些異同是不能強行由主觀支配的，而我們畢竟太接近自然主義的想法，過分看重客觀的存在而忽視了主觀的選擇，所以藝術的美感底價值。

西方美學家所說的：「從生活中取來的人物在小說中不能不在那和現實圍繞著他的環境完全不同的環境之下活動，而這就改變了外在的相似。可是所有這些的改變，都無礙於人物基本上依然是一個摹擬的不是一個創造的肖像，不是一個原來之物。你也許要說，因一個實在的人可作一個詩的性格的藍本，然而，詩人『把性格提高到了一般的意義』。這話通常是多餘的，因為那原來之物在個性上已具有一般的意義。」在這兒，更證明了客觀的意義之於理性，都有著分不開的聯繫。

這樣，我們尋求出一個美的結論，那就是客觀（感性）與主觀（理性）的綜合，而詩與美的依存，都是共同組識生活的願望，推動生活的輪軸的力量。

漫談散文詩

　　緊接著抒情詩而來的，詩人筆底也出現過「散文詩」。
十九世紀初葉，是文藝普遍擴張的年代，便有「詩的散文」的
創作，一般作家對於抒情的詩，除了外在的形式的劃分之外，
內在的，則十分困難地弄清這些分類。因為詩與文，都是抒情
的，寄情於物，寄情於事，寄情於人的內容，則詩與散文的界
線便有著難以劃分的焦慮，詩人常常稱頌有分類天才的鑒賞家
對文體作精微的劃分，而詩人自己在情感相通的情況下難於辨
識詩與散文的界線。因此，詩人的情感便一任浸淫於詩與散文
的中間，而致力於它底共同的律動，使這律動能歸於一致，
歸於詩人的意象中心，散文詩的孕育，也是一種順乎自然的
態勢。

　　「有人寫了很美的散文，卻不知道那就是詩；有人寫了很
醜的詩，卻不知道那是最壞的散文。」這句話是近人論詩的最
中肯的句子，以它來解釋散文詩，最有意義。

　　詩，必須具備美的條件，散文美對於詩是能助長相當的
藝術氣氛的。文藝的欣賞能超越了韻文的限度到達散文欣賞的
道路，這已經表現了脫離庸俗的看法。為什麼散文詩從十九世
紀的歐洲流傳下來而這麼容易為東西古國的人所接受呢？我們
對於這一個疑問，應該不可忽略一個因素，這因素就是接近生
活。藝術狂者當把詩的殿宇圍繞鐵柵，使它孤立成為個人的呻
吟，人們對於變態心理的歧途有所謂「自瀆」，這一類詩人夢

囈似的生活也猷之乎精神的自瀆。精神的自瀆是沒有生活的深度厚度，不會接近人的常理。這兒有嚴重的差別，那是這一種詩人深以為詩的本質就缺乏常理，更以為情感並不等於常理，他們把感性與理性的觀念代入了錯誤的邏輯，那錯誤便造成了詩的誤解。感情的如何飛揚奔躍，也不會逾越應有的限度，人畢竟還是人，所以，情感的河流泛濫逾越於涯岸，頂容易發生災害，其中所包含的理性成分該是人性的基本概念。人們在基本概念中活動，這就是生活的形態。散文滋長在生活的美態中，同時又滋長生活的美態，這達於詩境的散文美態便是散文的生命，散文詩的著地生根，卻因為情感的土地特別肥沃。

詩人的愛憎常是很分明的，詩人的情感在青少年中已經孕育而亦易於孕育，純潔的心靈培養著高潔的情感，使行為和理想都趨向崇高優美的道路，使愛憎有明顯的界線，生活內容便跟著充實。情感的解釋是可以形象地刻畫出來的，因此，我們便相信人有常情，物有常理，如果以物理的意象解釋情感，那末，情感應該像拋物線，它不會成為三角形而達到頂點，或者更不會直線升到頂點；同時，不會像三角形似的由頂點下降，它只弧形地漸達頂點，漸趨低沉。詩人所過的如果是夢囈似的生活內容，這內容便有急起直下，毫無常理的趨勢，嚴格一點說，這不是生活。散文詩能種在情感豐富的土地，便因為情感使自然的生活成為詩，而生活的內容有蘊藉的散文美。

散文的特點在於有豐富的形象，生活就是形象的泉源，喜愛抽象而賣弄才華的詩人等於沒有愛情成分的甜言蜜語，到頭來，這番話還是虛偽的。出自自然表達的語言，它優美的地方在於有率真的情操，散文詩的形象更豐富，則感人的地方更

深，同時，更能永垂不朽。

　　刻意求工的人底詩或散文，幾乎是搬演辭彙，拼湊毫無意象以至拼湊毫無聯繫的辭語，稱它做散文詩，都是對藝術的玷辱。青年朋友的撰作詩或散文詩，幾乎毫不顧慮這中間所表達的整體是什麼，這中心意象的喪失，對於詩、散文、散文詩的形象化的基本原則有嚴重的損害。那些每一句拆開來看都包羅著所有美的辭彙，每一句都獨立能成為一句格言，作為上好的標語或上好的題紀念冊的句子而合起來全部茫無所指的東西，都由於一般散文詩的概念的影響所致。糾正這偏見，便得向現實生活的形象上多下點工夫，小詩可以像旁人那樣習慣於「無題」而寫作，散文詩卻不能採「無題」的方式來撰作，小詩隨感的成份較有組織的成份多一些，而散文詩必須具備有組織的成份，才能凝成為完整的美。這完整，表示了並不是夢囈，表示了不是「自瀆」式的詩人概念，更表示了具有充實的生活內容。

　　在散文詩的概念下，詩人的語言就是生活的語言，辭彙的擷取，並不需要人工的斧鑿，因而，那些句子，是自然渾成的。普列查特論詩與散文說：「與其說詩從主題的發生，不如說詩從詩人的態度發生」，他的見解便強調了生活的內容，普列查特熱愛引用麥卡爾 Mackail 的話：「詩的本質，就技術來說，在於它有圖案的語言。」要達到圖案語言的目的，就得安排適當的語言位置，激情的與和諧的較量，最須要服從於自然的渾成。散文是自由的，不必因那些韻律的枷鎖去桎梏詩境和左右散文的美感，散文詩的出現，它已經綜合了詩的境和散文的美，凝聚成為有意象，有組織的一種文體，在律動的情緒上散文和詩交織融匯著的一種優美的文藝環節。

詩與民歌

談起詩源，在中國，在外國，莫不一致地追溯到原始形式的歌。中國文學史中要談詩的源流，自然免不了由更原始的〈擊壤歌〉談起。至於外國，文化深邃一點的國家必然有更優美的詩底形式，而這些詩，也一樣的導源於歌。全人類的行為演進律根本是沒有什麼歧異之處，人類始終是先有語言（雛形的語言是單純語音，僅能傳達身邊的事物的音響），然後，產生紀錄語言的符號──文字。而語言的單純，對於初民的生活是會感到苦悶的。初民的互助始於危險的煎迫，這些煎迫，來自不同的禽獸與及自然的災害，群性的結合，是抵抗災害煎迫的一種良好的行為，群性的結合，促進了語言的進步，語言的進步，又促進了娛樂性的變化。同樣的，語言又服務於群體的娛樂的行為之上，相因相乘的結果，語音助長了群性的藝術活動，藝術活動同樣加強了群性的團結。

文學藝術的尖峰，是為了人類而服務，是產生於人類安全感與及發生的情緒，語言導源演變出來的藝術系統和行為演變出來的藝術系統成為世界藝術史上的兩大脈絡，行為的活動（可以說肌體的活動），在個人的與集體的中間，總免不了是抒情和示威的意味。個人的抒情，見諸於抒情的舞蹈，集體的則見諸於交誼的與及慶賀的、互慰的舞蹈；屬於示威性質的則是個人面向自然，面向異類（如鳥獸昆蟲）的嘯傲或者集體的面對自然、異類與及異族作戰勝的示威，或作實力的示威等形

式的舞蹈。至於語言的藝術系統，最先是在音響的發現裡尋覓出悅人的音份，進一步是實體語言活動的抒情，歌謠的發生，正是語言的花朵最燦爛的時候，歌謠的演進，與文字的紀錄語言，在發軔點是沒有太多的關聯的。可以這樣說，即使沒有文字來紀錄語言，也無防礙於語言的花朵的燦爛，因為歌謠是民間口語上的藝術，承接這些藝術的完全是人類的心智，而記錄的最佳地方正是人類的腦海。它不止把歌謠誠實的記錄，同時也把歌謠在逐漸的變遷中更澄清、更雅化到優美的程度。中國的最早民歌，經過整理記錄而成為《詩經》的，它的流傳，已經不知若干年限了，及至屈原的《離騷》，它的傳播亦早於他記錄於文字之前；在外國，荷馬以盲歌者的身份組織了民間流傳的故事歌，傳播於「荷馬的後代」，而成為一種「行吟者」的集團，又不知經過了若干年代，荷馬的史詩才見證於文字的紀錄，而成為震驚文壇的《伊里阿特》、《奧德賽》……等詩章。可見文字之於詩，尤其是民歌，是沒有多大干擾力的，而最早的詩底雛型——歌謠，是一種無煩文字而能生存，也能進步的藝術形態。它的表現，是借音響的濃淡輕重來顯示，於是，「歌」是一種有一定的腔子來唱的東西，在人類學、語言學與及藝術導源的綜合考證中同樣可以拿出這樣的結論來，對於我們研究詩與民眾的問題，提出了寶貴的定義。

　　文字無妨於歌謠的發展，但是，文字卻促進了歌謠的雅化。原始的歌，導源於口語，口語是衝動的迸發，在有音樂律的歌謠流行而成為「不朽」之作的時候，這些歌謠，便成為口語上的典型，粗獷的衝動所謳歌出來的句子，在寄情與寓意中難免有粗俗的辭意。人類生活方式的進化，意識和形態，都形

成了許多矜持，衝動的歌謠底雅化，是在原始社會中的一種文明運動。我們以若干傳統性的舞蹈中仍可察覺舞蹈藝術包含著一些粗獷的象形，從而可以推知粗獷的語言所流行於原始社會中的坦率程度。原始的文明運動在於矯正歌謠的粗獷句子，而進一步人類智慧發達到利用文字紀錄語言，同時又紀錄歌謠，其中所因人類制訂的禮儀關係而使歌謠再度遏抑它的粗獷和坦率。文學的雛型，便在這種觀點之下形成，歌謠的雅化，換句話說，就是給知識分子改削、遏抑了所有的粗獷部分，留存下可以流傳的句子。其間，可以謳歌的數目一定減縮到可憐的地位，可有再創作或仿作的動機，我們對於三百首的《詩經》的看法，創作、模仿的數目，也許要比原有流傳的還要多，就是根據上述的概念作出推測的結論。

這樣一來，創作的自創作，謳歌的自謳歌，在知識分子的刪削底一轉念間便出現了兩條途徑，一條是保存於人們言語中間的民歌；另一條是知識分子的模仿與創作。

在創作和模仿的途程上，放縱的腦波是不會滿足於固有的歌唱底有限形式，在心智奔放的文士中所觸發的文字與音韻的技巧，乃產生了刁難於一般知識界的韻律來範圍著詩的界說，這完全是文字的發展至充份達到應用的需要的時候所產生的舞弄技巧底現象。詩的遠離民歌，就在於這一個時期裡，格律，便是玩弄技巧的「詩國」底「法律」，格律使詩成為「非民歌」，成為知識分子的超人藝術，又成為詩人桂冠的護符，而「詩人」的地位和「歌人」的地位，也因而愈拉愈遠了。不過，詩與歌到底還有相通之處，就是兩者的傳誦，都是適應於口型上的音響，歌，是放聲高唱的；詩，是低徊吟哦的，儘管雅俗有別，

而效果則同是取悅於人類本身的性靈。

　　人類是一種富於創造力的動物，對於詩與歌的演進，都雄辯地納入更洵雅的境域，而聲樂的發現，使人們分析了節奏和律動在於聲樂中的重要，不止解釋了文人詩的格律底律動規程，而且解析了民間歌謠的律動規程，從單純語言音響妙悟出和聲，再而妙悟出伴奏音響，使詩的地位進入樂的範圍，而詩的吟哦，進而回復到歌唱，這其間，分明是納入了詞的境域了。詩與歌的分道揚鑣以來，至此又由於樂的重現而會師。古代的皇帝，喜歡培植些樂工來作歌侑酒，文人的詩，常是被樂工作為配曲歌唱的唱詞，樂府之成為廟堂文學，其變遷是如此，而民歌也常被皇帝們引用到樂府中歌唱，以示「與民同樂」的象徵。它能與詩再度碰頭，主要原因卻由於它保持了純樸的民間色彩、地域色彩，它具有絕不是文士們憑空創作所能表達的情調。在朝在野，歌的演變始終是單純的，而詩的演變卻是複雜的。

　　古詩人中，頗多詩人從事於民歌的採集和整理而做著雅化的工作，劉禹錫被貶到四川，也曾根據民間流傳的歌謠而改作了一些竹枝詞。像：

　　　　山桃紅花滿上頭，蜀江春水拍山流，
　　　　花紅易衰似郎意，水流無限似儂愁。

　　　　楊柳青青江水平，聞郎江上踏歌聲，
　　　　東邊日出西邊雨，道是無晴還有晴。

　　這些詩，卻就是一般山野間可以流行朗聲高唱的歌，不同

的只是經過文人的重寫而雅化罷了。這些詩句中，所高歌的卻是一些山野間的男女款款深情，借物寓意諧聲俱備，雅化了之後仍不失民間的風緻，這是唐代詩學的偉大成就，也是詩與民歌合流所產生的美麗花朵。

文學革命所帶來的問題，是大眾化的文藝的期待，由於語體化的要求，舊詩的被革命與新詩的建立之間，令人想起了民歌的旨趣來。是的，民歌本身的真率坦白，寓物抒情，原則上是相符於新詩的形態，特別是艱澀費解的詞彙的廢棄，更接近民歌的形態。所殊異的地方，就是新詩正尋求著一種新的抒情而形象的道路，在內容上，它打破了傳統的狹隘主義，絕不是僅僅描寫山林泉石，傷春悲秋，痛惜過去，無視現在的濫調。在內容上它兼容了寫實的與浪漫的馳騁，擴拓了寫作的空間；在格律方面，用勁地扭斷枷鎖的束縛，使措辭遣句，能達到情韻的淳和，思想的涵容，形態的放縱。至於目前流行於各省的民歌，近些時曾有致力音樂運動的人把它譜入樂曲，作為演唱的資料，音樂家們所採用的旋律和情韻，盡量適合當地的語言音律。當然，我們不能說它是絕對接近每一民歌的出產地的音律，而我們相信這已經是一種近於「竹枝詞」時代的雅化民歌的成就。我們對於近代的民歌，常常發現歪曲的現象。民歌本來是純樸的，所包涵的內容，也單純到（一）歌頌或感嘆男女間的戀情；（二）歌頌大自然的涵育；（三）歌頌個人的成就（這些成就，包括了農業產品，工業成績與農暇、工暇的小玩藝的成就）。當然，這些內容的顯現，其間也很容易納入地區性的問題，如自然現象的旱、潦問題；人為現象的童養媳，兵荒馬亂與及苛捐雜稅的問題，這完全是民間的誠摯淳厚的傾訴，對

於歌頌豐年，歌頌盛世的，在民間歌謠裡雖然偶然也可以看到，但是它的歌頌，卻是很正直的，很客觀的，絕不像今日那些民歌製造家高坐在洋房裡的梳化上而杜撰出歌頌個人，歌頌黨派的那麼肉麻。所以，我們今日研究民歌的，實在不能忽略目前所存在的民歌污點而誤信民歌對政治的過度敏感。

民歌和詩，在今日音樂藝術普通發展的時期，碰頭的機會也自然多了起來，主要的，我們必須要分辨詩與民歌的界說。儘管詩與歌是同源的，詩與歌的歸趨也是朝著平白易懂的途程走，而民歌到底是帶有粗獷的鄉土氣息，它深入到不同地區裡，採擷不同地區的情感，採擷不同地區的語言音律來表達各個不同地域的律動；詩的表現，在表達的形式和音響上，就不必計較地域性而謀求普遍性，（這並不是指表達內容的形象不能容納地域性的氣氛）我們更具體的說：「詩」是語言與文字的花朵，「歌」則是語言的花朵。

心靈的花朵——詩

　　詩，引導了散文的出現，散文又蛻化了近代詩的形式，這樣的循環生化，在文學的分類上已經很顯著的區別了兩者的體和用了。

　　詩是什麼？這是我們第一步需要尋求的答案。按照古人的解釋是：「文之有聲韻可歌詠者也。古多四言，仿自風雅，漸變為樂府長短句，魏晉以後，多五七言。相傳五言起於蘇李（即蘇武李陵）之答贈；七言起於漢武之柏梁。至唐而詩學大盛，遂有古體近體之分，古體即仿樂府之作，近體則律詩及絕句也。」這幾句話對「詩」的定義劃分得很清楚；不過，這是古人對詩所下的定義而已。及至新文學運動的產生，對於詩學，抱持著過份前進心理的人，他們多主張推翻既有的詩底定義，去仿效西洋的方法。另外一些保守的人，則完全主張守舊，大多數人都說不出一個所以然來，這是詩學沉滯的原因。我們可以重複體會一下古人所下的詩底定義，他們所說的「詩」，無非是拿四言、五言、七言的形式來作為與普通文義的區別，頂多是那一句「有聲韻可歌詠者」而已。古人根本不談內容，所以，我們今天研究詩學的可以理解到古人對詩學理論是十分貧乏的。到底，我們對某一文體的長成，也是不能忽視雛型時期的人底功績。詩學在唐宋時代的蓬勃，也是我們應該承認的。因此，在未談今日詩學的癥結所在時，先得瞭解古詩人所著重的地方。

古詩人對詩的認識是以為它是音韻學的一個課題，所謂四言、五言、七言不過是達成音韻學的表現形式罷了。由於古代詩是起源自民歌，它不待文字的發明便已存在，可知詩的依存空間是在語言（也就是聲音的迸發）。所以，值得我們相信的，則是語音的藝術就是古代的詩，它服務於人類的耳朵，所包含的內容，自然是初民時期最簡單生活方式的反映，如果我們把詩學劃成三個時期，那末，初民的時期便是由語音的藝術起，而至漢代止。第二個時期，則是借助於文字上的優美條件來豐富詩的內容時期，秦漢以後，中國文字已經成熟到足可運用自如地傳達心中的願望和記錄語言的趣味，所以，詩已經不再是憑藉著語音的傳遞和腦海的記憶了，這是第二個時期的開始。但是它仍然必要地表現音樂成份，像漢代、唐代、宋代，不論詩和詞，在應用上多數是以「入樂」為原則，在朝的是樂府，在野的是民歌，在野的被文士雅化的則是竹枝詞，它的獨立形式是罕見的（並不是沒有詩的獨立性，而是說依附於音樂成份為多），唐代曾經以詩賦取士（即是以詩和賦作為考試的對象），形式上的獨立，漸見端倪。不過，那時的格律，仍然給音韻學所統治，音韻學仍是從音樂的領域中蛻變出來的，所不同的則是把從語言中移植到文字中罷了。單字的平上去入四聲，是由音樂的宮商角徵羽五音中蛻化出來，而詩韻的劃分，也是根據沈約的四聲而定了上平聲十五韻，下平聲十五韻，上聲廿九韻，去聲三十韻，入聲十七韻。把這些韻次的分割而使所有文字都一一編入四聲（亦即上平、下平、上、去、入五聲）中，運用它來達成寫詩表現音韻的目的。這一個時期的詩學，致全力於音韻上，其他比較傑出的詩人、詞人，像王維、李

白、杜甫、岑參、李煜、辛棄疾等人，他們能夠兼備了韻律，亦能創造意境。這些成就，也說明了文字的特殊力量對於詩的功能，足以掩蓋了單純是語言對詩的功能底優長，並開拓了詩學的新領域，預伏了詩的真義不單在音韻之上的解釋。

第三個時期就是文學革命以後的時期，這一個時期直至今天，詩學仍然在黑暗中摸索。有些人主張語言的「白話化」是文學革命基本目標，「詩」，最多也只求「白話化」便應滿足；有些人主張「詩」必須徹底革命，最革命的形式莫如西洋的形式。所以，文學革命以後的詩壇，有所謂舊瓶新酒，亦有純粹西洋語法的詩。其實，我們縱觀詩學的三個時期，對於詩的定義，數千年來都忽略了內容，只講求它是文學中與普通文體有所分別的形式，這也難怪歷代以來詩人對詩學知識的貧乏，而令一般好學而未窺門徑的人不知所從了。我們可以在這裡指出，詩學到今天，已經超越了音韻學的里程，因為初民沒有定型的文字，詩是語音的藝術，主要是音而不是義，社會的進化，生活方式的繁複，加上文字的確立，詩才進展到音義並重的時期。再進一步，由詩到詞，先後擺脫了語音為主的意義，而進入內容為主的境域，凡事物進化，必然有消長的一面，詩和詞在意境（即內容）的長，而音韻則消，也猶之乎脊椎動物的尾巴在實用上的退化一般，音韻在詩詞上變成了附庸地位。從這個進化的現象可以使我們澈悟到詩學的革命底目標所在，我們便可以明白地探索出詩的進化，必須像脊椎動物一般斬掉了那段多餘的尾巴才能成為進步的形象。即是說，我們今日的新詩，必須是意境（即內容）的全面開拓。原因是詩即是人類最高情操的顯現，情操的顯現是不能按定型格填進去的，它本

身是有一種韻致，而不是必須地去尋求聲韻的強合或巧合。譬如有一位天才的演說家，他的演辭是那麼動人，令人聽了折服得五體投地，推究其原因，大體是這樣：一、全篇演詞內容情感豐富；二、演說時的姿態懇摯；三、演說者的語音抑、揚、頓、挫有致。那麼，我們可以理解，這是內容的問題，而抑、揚、頓、挫，是在內容中滋生出來的，這是韻致，並不是韻律，人們常常稱讚這樣的演說家簡直是在朗誦詩，是不是他真的在講臺上誦詩呢？假如說是，那末拿一首詩（即是有韻的四言、五言、七言的句子），到講臺上去朗誦，會不會也產生同樣的效果呢？這些都是我們今日對詩與韻律和韻致的必要辨別──這是內容的，自然涵育的機體；它有異於單憑五言、七言，加上韻腳而成詩的形式的地方。

中國「詩」字的原初意義是承或負，意思是把手承接著並負持著，引申它的意義，大約是一種很脆弱的東西必須輕巧地呵護著它，所以，我們可以相信詩是纖柔的，溫婉的。從文學的領域看，詩是此中最靈巧的產品，古人常以為情感的波動是一種人生的負累，近世科學家亦證明一個人的情感如果染上太多的憂鬱傷感，也會催促著人類的快速蒼老，從這方面的印證，可以知道所謂詩意，就是情感的波紋，詩意畢竟是在每個人的胸臆間的。不過，胸臆間的躍動，有時是受著外界的自然景象或人事變遷而引起喜樂哀愁，這種精神的活動加給人們的肉體感受，也即是一種負荷，人類必須珍惜地呵護著這種所謂「詩意」，換句話說，即是人類必須珍惜地呵護著精神生活和高尚的情操。

形式對詩是一種桎梏，研究詩的人如果說要訂出了一篇約

法，說詩是必須四句一段的、或者是十四行的、或者是每句末字必須押上一個韻的、甚至要五字、七字而尋求平仄協調的，這些做法，是十分落伍了。可以說，簡直是詩的「文盲」，更甚一點，可以說是詩學革命途程中的「反革命」底「惡霸」，我們早已相信最初分別詩的方法是只憑聲音，再憑形式。詩學鼎盛時期，內容便已掩蓋了音律，這是鐵一般的詩底演進史。觸發了文學革命的動機，本來就是為了打破形式義法的限制，照理，詩的革命當不能例外了。

有人說「詩是語言的花朵」，這句話是不太盡善的，詩是文學的一環，文學是由語言的紀錄而加工的（這是經過整理的語言），當然它並不能代表那單純的「語」了，因為「詩」經常地在顯現心靈的境況，是不能說做單純表達語言的。同時，我們相信語言距離藝術，多少是有一段空間的，語言表達心靈境況是一種手段，詩（文字的）表達心靈境界也是一種手段，它不必轉輾依靠語言然後表達，所以它不可能說做是「語言的花朵」，這是直接的與間接的問題，如果要提出一句相類似的口號的話，那麼，把它說做「心靈的花朵」，更來得恰當。

話情詩

很久不談詩了，原因有二；首先我覺得已經超過了「詩樣的年華」。我很早以前跟朋友談過，人生的詩齡，只能在少年與青年這一段時間，一到中年，憂患與生活的、思想的阻力具備及堅強起來，詩情便淡化了。記得蔣捷的一闋〈虞美人〉：「少年聽雨歌樓上，紅燭昏羅帳；壯年聽雨客舟中，江闊雲低雁斷叫西風。」（這半闋正曲曲詮釋了青少年期的心境，這階段正是我所說的「詩樣年華」呢！）到了中年以後，便是「而今聽雨僧廬下，鬢已星星也！悲歡離合總無情，一任階前點滴到天明。」於是，詩齡過去，只餘下一副較有定力，較能分析領悟事理的頭腦，即使逢到詩樣環境，也自由他了。其次則是由於年來過著事忙的生活，幹幹這樣，幹幹那樣，成了名副其實的「幫閒」角色，沒有較充分的時間讓腦子去思考問題，而我一向認為談文學問題（自然包括談詩在內），是要能創發見解、創造新意才能成立為「發表言論」的基本條件。如果循別人的思路去重複或循自己的思路去重複，前者是一位思想的抄襲者，後者則是絮絮滔滔的長舌婦了。

現在我忽然又來談詩，似乎有難以「自圓其說」的矛盾，不過我真的發現到有些問題閃現在眼前，只有提出來談一談，才覺痛快，而在這裡我已沒有「論」的幹勁的原因，也許是由於把問題看得淡化了一點的緣故吧！

譬如說做人，在一種德性要求下，許多人都相信「不誠無

物」，我看作詩也該如此，作詩基本上求「誠」，則情感必是自己的情感，而那一點「情」，必是有「感」的情。所以，詩是感性的，而感性最易於觸發的契機往往在季節感的春花秋月；人事感的離合悲歡，憑單純的伸衍，那種帶著幻象的憧憬發展成為詩情，進而演化於藉文字作為紀錄的符號，這樣，便產生出詩來了。這些觸發，畢竟是青少年期的財富。

自從白話文那回事發生以後，可笑的事情跟著出現，最先是胡適拿語體詞充作白話詩，開啟了一條路子，人們忍著笑，裝著老成的樣子跟在後面跑，到了徐志摩、李金髮那一時期，詩人們彷彿做著再不是忍著笑的正經事了。

昏慣的時代似乎很悠長，一兩個詩人的閃現只是無月之夜的彗星，掠過以後，仍是昏暗的。有安於思考的環境，人們忽然又想起詩，這是近十年來內亂攮走了許多詩人於刺刀尖所及不到的地區時，秀才們整肅了衣冠，昂然拍著胸膛說：「我不怕你這些沒有詩情的將軍以及強盜」之後，再搖頭擺腦起來，這種有搖擺環境的時代，便招集了些愛好者，大家一齊搖擺，於是便嚷了起來。

有人說：詩，都是外來的，那些洋紳士們才是詩人的鼻祖；中國有屁。有些說：否，否，吾們禹湯文武周公孔子以下，別有唐詩宋詞、元明雜劇詞曲，迨晚清詩壇，重振歷代詩風，開創國朝新體，乃空前未之有之蓬勃景象也。洎乎晚近，二三子毀詩滅詞，以引車賣漿之村俗俚語妄僭詩位，誠可鄙可恨之世代也。又有人說：中國有詩，那是傳說，也是古典，詩人只知傷春悲秋，卻無時代觸角，今天唯有發展現代詩才是新詩的道路。

這是新詩爭論局面的一個縮影，如果認真把許多不同的爭論點羅列起來，相信可以找出近百種似相同又似不同的說法，而每種說法的排他性都很強，但本身的立論觀點卻十分脆弱。也許這就是招致紛爭的基本因素。我很相信，感性成分強的人，理性成分必然很弱，越是處理事務有條不紊的人，他的藝術性格一定很淡薄，所以，有詩的嗜好的人，他們只盡限在自己所認識的「詩域」之內，而組織理識，羅列理論，演繹理論的能力與興趣都不會很濃厚，這便是有熱忱的詩人對詩學談不出一個所以然的原因。同時，由此原因所牽涉演變的，便是那些年輕詩人的固執，比如他們喜愛象徵詩的，他們會說：你們懂甚麼？詩只有象徵的摹擬才有朦朧美；但喜歡現代詩的人又會說：放屁，過著現代生活的人為甚麼不走現代詩的道路？難道現在仍然在「春風秋月等閒度」的時代詩麼？這些說法，如果他們能以既冷靜又悠閒的態度去體察，當會發現到問題的所在是那麼可笑。歸結起來，大家都在推銷自己的貨色，而推銷的技術卻全是十二分低劣的。反過來更嚴謹點說，他們都不曾好好考慮過如何鞏固充實自己所信服的理論，然後憑理論去說服別人來相信他們的詩派。於是，這些詩人便變成了「信者得救」的傳教士式人物，又於是，只消你信服他們的詩派，你便是詩人了。

我只以同情心來談詩，一涉到詩派，也覺心煩。我不打算摧毀哪一詩派，也不打算抬高哪一詩派，我只以冷靜的態度來探索這紛爭已久的問題。我認為詩本來就沒有甚麼派，但不妨以甚麼派來作一個研究對象試一解剖。就以甚囂塵上的現代詩來說，我就覺得他們只有排他性，而缺少自我存在性，我曾和

好幾位自認為現代詩服膺者談過，我希望他們在理論上多作闡發工作，少作排他工作，而他們所主張的恰與我的見解相反，他們認為，現代詩定義不是沒有，卻很簡單，只是以現代目光來表達而已。本來這就是一個很爽快的闡釋，可是，試一深思，中間的問題就多得很。如果你真的追問下去：

問：現代詩是七言嗎？五言嗎？答：不，那些是古典老套。

問：現代詩是描寫什麼的？答：是描寫現代思想感情的。

問：什麼是現代思想感情？答：現代的一切都是。

問：那麼，甚麼都可以寫了？答：對。

問：如果我寫「我想以海水沖廁的洗手間研究美蘇核禁問題」，這是最現代（Today）的了是詩嗎？答：不，太直，太不修飾，太不美化了。

問：那末，還不是以往那一套？甚麼朦朧的美啦！含蓄的美啦，思想的游動啦！答：……

這一個懸擬，我想是由於功利心過重才產生了輕率的現象，而我們對現代詩沒有嚴謹界說，倒不如把這個圍牆拆掉來得更乾脆，同時，我對別些詩派的看法也復相同。

特別是現代詩的「現代」一詞，似乎欠缺明朗，在西方，「現代主義」只是狹義的解釋，它有別於「現代」，以文學來說，「現代」是廣義的「現代主義」只能算是「現代文學」中的一流派，但是，現代詩是廣義的現代文學的詩呢？還是狹義的現代主義的詩？這是她在定義上顯得模糊的地方。

不過，照一些現代詩人的解釋，以現代語言來表達現代詩，則我在本文引用的那首詞，便可以這麼寫了：

十二三歲時在舞苑歌場，

雨聲透過香暗燭光傳入簾帳，

二十歲時闖蕩江湖，

雨聲在旅途的船上蕩漾。

白髮滿頭困在荒寺的我，

把可愛可惜的人與事都拋開，

雨聲只在階前、不在我心頭敲響。

　　這是現代語的寫法，符合了現代詩人所說的要求，但我相信他們會反對，他們可以指出：這只是言語的轉化、思想情感還不是現代的，那末，我又照思想情感的「現代化」來試擬一下：

年輕的日子有過難忘的雨夜，

公寓裡我和女歌星傾聽隔窗的旋律

幾年後我乘總統輪橫渡太平洋

浪濤混著雨聲伴著海鷗在翱翔

滿頭白髮時我自金山歸來，

在修院的廊上又逢雨夜，

許多恩怨罪惡憑天主力量淡化，

讓階前的雨洗刷了心頭的污點

　　當然，現代人仍以為這兩個例還不是那回事，他們只相信現代詩要比這個更優美、更感人。不過，這已經不屬於他們所

講過的定義的範圍之內了。

　　我們可以發現，許多詩派的人都在肯定自己的詩派才是今日正宗的詩，同時也是最需要的詩，要談進一步的問題時，他們會認為：「總之」是他們的最好。這態度，是一種沒有探討餘地的武斷。記得我有一位朋友最喜歡說「總之」，一遇到辯證的問題，便拿「總之」來做盾牌，在許多時日來，我幫助他消除了這武斷，而這位朋友已經認識到充實自己的理論基礎，比強迫別人去相信「總之」是對的更有意義。這真實的事件告訴我，在我的眼裡現代詩正該少談「總之」，多做建設工作，如果詩的定義與每一詩派的定義和要求都相同的話，（或許只是大同小異也不相干）我以為那些自我圍範的圍牆拆掉它不是很好嗎？

　　漸入中年，初生之犢都會譏評並且免費奉上「落伍」的帽子，但當那些自負為理論家的人出來征伐一番時，我還願意勸他們多想想詩的界說，少想他自己的主義，然後再看他自己作出的最高標準的詩，甚至多作修飾，這才是必要的。他們的大作屬於什麼主義，到時自有識貨的人來區別它，自己忙著，何苦？現代詩人自己不是承認過有些甚麼打著現代旗幟的人寫的不是現代詩嗎？

　　我還得重複說一遍：自我鞏固比拼命排他更重要。是麼？

詩有新路可走嗎？

（一）

很不想談詩，但是已經談了。上期在這兒談了半篇詩（因為有半篇是談稿費），發表之後，接到了讀者來信表示「同感」，真是有點意外。因為我心裡一直以為，不會有人愛看詩或談詩的文字了。

現在，又要談詩，雖說是覺得還有一談的必要，但是要談的卻是外來的力量。這「外來」的力量其一是讀者的反應（可以窺察出《當代文藝》的讀者真正愛做學問工夫），其二是第二屆世界詩人大會在台北舉行，我在八月間接到邀請函，一查之下，才知道香港方面被邀請的都是作舊詩的老先生，真正搞新詩而被邀參加大會的，只有徐訏和我，這一來，我要再談一談詩似乎很有點需要了⋯⋯

（二）

「世界詩人大會」這麼大張旗鼓，當然在整個詩的世界裡，很有必要來一次「互相流通」，孤陋寡聞的我看到這次大會是第二屆，才驚悉第一屆已於前年在菲舉行，同時，又獲知第三屆將要在美國舉行。既然這麼大張旗鼓，相信詩翁們一定認為「詩」在這世界裡必然「前途大好」。抱歉得很，在我個

人的認識之下，對目前的詩人以及對既有的詩，是一個悲觀論者。

我對新詩（即使舊詩也併在一起）的前途，近五六年來即已感到「日暮途窮」了。有這想法的原因，並非由於新詩集的銷量只有二三百本那麼小的例子，而是感覺到，人類的真性情被物欲所蔽。

這話怎麼說呢？

我以為不宜拿太高的論調來代入，單以這十年來對文藝作品的趨向，便可找尋出一條途徑了。

近十年以來，市面上文藝作品的銷售數字的消長，表現出人們的喜愛是最令人感慨的。一個時期，文藝界人士慨嘆色情作品佔據了市場，使青年人目中只有色情而沒有文藝，其實，這觀念錯了。真正的佔據市場，不是色情作品，而是暴力及動作的作品，這些作品，完全講求情節的速度，以及閃現的動力，譬如鑽石大盜那一類的作品，他們不在表現什麼，只在表現有人作這樣的尋覓財富。這便是十年前文藝作品的「流行」路向，在此之後，快速節奏代替了一切，那些作品不求表現些甚麼，只求表現一瞬的觀念（或願望），《鐵金剛》是其代表，他們似乎閃眼掠到有東西方冷戰的影子，而這一閃之後，便是冷酷的間諜在媚笑之下、或在爭獰之下交了手，一陣血淋淋，分出了勝負，讀者噓了一口氣，揮了一把汗，離開銀幕（或放下書本）之後，似乎心靈並沒有甚麼存在……

這種趨向，一直統治到今天，大家都在引申這種無根的激烈活動，於是，人們就無法從文藝作品中的流行觀念中取得甚麼。

換句話說，這種趨向一經廣泛泛濫，這年代就注定再沒有「詩」的存在了。

我早就感覺到，詩已不是工業社會的文學品種了。要在這種環境下培養出詩來，就得花很大的力量來培養整個社會的祥和。

要培養整個社會的祥和，不是一兩位詩人所能夠做得到的事情，它必須包括政治家和教育家甚至所有行業的人的努力才能辦得到。

在我還是少年的時代，我是相信詩人有力量締造一個祥和的社會的，後來親歷過槍桿子下的生涯，才知道秀才和兵，詩人和老虎，很不容易混在一起。也是由於這段經歷，才知道兵和老虎，都能輕易地把詩人吃掉。

（三）

上面是時勢。

有人說：英雄可以造時勢。可惜詩人並非英雄，雖然，大家都不該妄自菲薄，人人可以做英雄的夢，惟詩人不能做英雄的夢。我不是鼓吹詩人回歸到傷春悲秋的陣營裡去，但作為詩人，一種詩的意念絕非砍掉千萬頭顱的英雄氣概，起碼得有雍容敦厚的情懷，如果一有這種情懷，要做英雄之夢那可糟糕，有朝一日，首級懸在對方的旗杆上，只好變了別人吟詠的題材。

也許有人懷疑，兵連禍結的世代，也留下不少詩篇，這話又怎麼說？

唉！這話說來教人洩氣，詩人在戰火之中如果能吟幾首詩，也不過是事後之作，「車麟麟、馬蕭蕭」，無非是追記；「自胡馬窺江去後，廢池喬木，猶厭言兵，漸黃昏，清角吹寒，都在空城」，也是由亂極漸趨祥和之作。而這些不過是「俱往矣」的故事。真正屬於今日的，並不是這些，而是現實生活的節奏在扼殺詩情。

　　新的世紀，人們正在忙着分工，一部動力馬達的生產，也要經過許多不同部門的專門作業，然後拼湊出製成品，所以，今日的人們如此地分工，無非在生活的節奏上尋求最高速度的改進。再簡單的說，人們已經進入了吃罐頭代替午餐，用紙衣服代替綾羅的世紀，人們不再是自己兼任家庭廚師、家庭縫紉師的時代了。人們要這樣，無非是為了更增加（或者應該說更節省）多些時間來從事社會經濟的活動⋯⋯說到這兒，也許大家稍為瞭解得到了，因為人類已投入經濟社會的洪流裡，不容許你置身事外的，在洪流中翻翻滾滾下去，人們已因經濟社會的活動，喪失了物質以外的精神生活。而實際，文藝便是精神生活一部份，這一部份，已因高速度的世紀的要求，在變得有如前面所舉的小說的例子，僅有一點餘暇，對心靈的享受也在作高速度的要求，你說，該怎麼辦？

（四）

　　詩是文藝中最奢侈的部份，而人類的心靈活動已經到了極端吝嗇的程度，詩，能說她的前途不黯淡麼？

　　這，是她的命運。

在另一角度，作家顯然還未瞭解新的物質文明社會的轉變應如何順應。正如一個辦雜誌的鄉愚，數十年如一日在誇耀自己那「悠長」的歷史，而進入印刷革命的今天，他正作小腳放大的改變而根本不懂得新技術如何適應一樣（說句不客氣的話，《當代文藝》雖已早就在作印刷技術革命的適應，卻仍嫌適應得不夠，那位鄉愚更無論矣）。讀者也許在初有電視的時候，看過那一時期電視節目，那一初階段的電視故事和電視廣告，都是說話多於動作，這種表現，純粹是由於那些工作人員從播音界轉入電視界的關係，一時未能完全適應，直到今天，電視畫面已有了適當的進步了，那些還在舊技術階段的人有些由覺悟而進步、有些被淘汰掉了——這便是技術的適應。

到了今天，一位作家、一位詩人，又豈能不在新時代給予人類一切物質生活上的文明賜予作技術上的適應？所以，如果作為現代詩人來論詩，就不能僅僅在傳統詩的五言七言、律、絕、古那些體裁推敲，也不能僅僅在新詩的改組派、抽象派、回歸派那些門限裡爭論。因為今天的文藝作品已經早就和電影、電視劇結了婚，而新詩，卻孤零零地守在高處不勝寒的小繡房裡對着春天叫頭痛，對着秋天嚷腰酸……

多麼嬌嫩、多麼可憐！我們的詩小姐。

準此，詩如未成熟 情有可原，詩如果成熟了，就得把她嫁出去了。

事實上，等着和詩結婚的如意郎君正多着呢，電視劇固然可以成為嬌婿，音樂更可以成為嬌婿，問題只在如何穿針引線而已……

偶然有點餘暇，我曾經思考過，新詩既然前途黯淡，就得

變個法兒，把這黯淡的前途扭轉。本來，世間上沒有走不通的路。張騫通西域，眼看無路可通，也能「鑿空三萬里」打開了通往中亞細亞的大道。詩如無路可走，學學童子軍的精神，逢山開路，遇水搭橋，當然是困難些，總不至於無法可想吧。因此，在我的想法，和音樂結合是一條很好走的路子，這不見得是「依附權貴」，雖然音樂本身已經長久以來成熟得有如「書香世代」的了。我的意思並不是尋覓音樂家作曲，詩人來作詞（當然這也是一條路子，而這條路子算得上是無可奈何的道路，走起來總勝於瓊瑤那一首近乎粵劇歌詞一類的「月滿西樓」，那麼徐枕亞《玉梨魂》式的老套）。

讀過些舊詩詞的人總該知道，東坡的詞，宜於關西大漢，執鐵板銅琶，唱大江東去，柳永的詞，宜於十六七歲小鬟，敲拍紅牙板，唱楊柳岸曉風殘月。

——這便是一個啟示。為什麼我們不可以寫下新詩，讓少年男女，一如電視台經常出現手抱結他，演唱民歌那樣來把現代的情思傳達出來？

這個社會的人，腦子不該過份僵在舊的習慣裡吧！文藝作品不應再限於印刷出來，讓人只單純地作文學去欣賞，而應該擴大界限，讓所有作品，給大多數人作綜合欣賞，譬如一部小說，可以改編成電影，也可以改編成電視，新詩、文雖抽象、形雖遊移，假如作者或改編者作靈活的運用，豈有不可成為一個別開谿徑成為現代文學新表達形式之理？

繪畫可以展覽，音樂可以展覽，前者是形象，後者是聲音。我以為詩也同樣可以「展覽」，我們不妨把形象與聲音同時運用，來對新文學最弱的一環加以推展。

我不喜歡老先生襲用舊詩詞那一套「雅集」，因為那是了無新意，新詩人格調不能統一，雅集起來，如果真的搞起聯句，後果可就不堪設想，因為能聯句的只有舊詩詞，它有一套固定框框，你依它套上去，連大觀園中不識字的賈二奶奶王熙鳳也能來一句「一夜北風緊」替賞雪聯句的眾姊妹開了頭，被認為開得空靈可愛。而我們的新詩，能憑什麼方式去聯？

我也不喜歡「藝術節」那些詩歌朗誦，不知那個笨蛋把天真活潑的少年男女引入搖頭晃腦的冬烘模子裡去。

為什麼我們不結合新的物象來搞一種活潑清新的「新詩展覽」呢？在這方面，我模糊地有了一個概念，假如讀者們有對新詩沉悶的不耐煩的，不妨糾合幾個志趣相投的人，來試行玩一玩奢侈的玩意。我想，《當代文藝》來主催一個新的運動，比讓那秉承腐朽的頭巾氣的老先生拉着活潑可愛的年輕人搖頭擺腦要有生氣得多。

（五）

新詩給胡適帶錯了路，白話文運動抖起來，他的想法是：文學既革了命，新詩又豈能不？於是他便小腳放大起來，當然，那是一次可笑的開端……

往後，人道、畜道、魔道的詩都出現過，那些詩人都沿著一條直徑走下來，走得實在不高明之至。因為他們不以為新詩除了在文字鬧糾結之外，還有清新可走的路子。所以，我對老先生或改組派談時，我都說：詩，馬上就要死亡了。而我對新的文學愛好者，卻樂於說：詩，是可以新生的。因為老先生們

常常穿着關刀大反領和有顏色襯衫的西裝在學術壇上大聲高呼「忍令上國衣冠淪於夷狄」；又因為新的一代她們會純潔而率直的說：「媽媽媽媽呀，我要一個結他！」

　　愛新詩的朋友，讓我們抱一個結他，試走一條「詩展覽」的新路。

一腔孤憤又談詩

（一）

彷彿是十六七年前，我在《香港時報》的「新青年」版寫一個專欄，因談詩而引起許多人的興趣，同時也掀起一個詩潮。同一個時期，我在該報的副刊每天寫一篇散文，那種近乎詩的冥想，靈的躍動，曾獲致讀者們的共同陶醉，記得有過許多次集會，好幾位讀者巴巴的跑到我的面前來唸我每天的散文，他們唸得一字不漏，使我又感動，又慚愧。

現在重提這些舊事，並不是意圖以「當年勇」來充「好漢」，只不過因為想到詩而滋生了感慨。這些感慨，還是集中在「新詩」的話題之上。

文藝發展到今時今日，人們已經不把文藝看在眼裡、活在心裡，文人為了生存，也得捨文藝而求生。為什麼會如此？道理說來也不怎麼高深，因為文藝提供的是心靈的享受，而今日的人，都活在物欲之中，已不必要什麼心靈的享受了，所以文藝衰頹，而文藝也就快要失落了。

詩是文藝中間的一個環節，她比文藝中別些環節更具心靈的意境，她不僅能提供心靈的享受，更能掀起心靈的迴盪，無如，現在的人在物欲之中掙扎，失落了心靈，當然沒有迴盪。所以，詩便只長成得「婷婷嫋嫋十三餘」，委委屈屈的消瘦得不成樣子……。

也是在十六七年前，我和一些熱心文藝運動的作家討論新詩的問題時已經指出，新詩會在科學世紀的極峰處沒落下去，他們有些認為我故作驚人之筆，有些認為杞人憂天，有些認為只要有人推動，斷不會沒落。到了今天，事實證明了我的話如女巫的水晶球那麼靈驗。這種「不幸而言中」的預言，在愛好詩的人來說，是多麼的沉痛？

　　不過，在現世紀的人類情感軌跡中，似乎詩還是可以復活的。這話不是對躺在病床上的癌症病人的安慰場面話，而是實實在在有跡可尋的。

　　我們承認了科技影響了心靈，就得從科技最發達的社會中間去看。今日世界上科技最發達的國家莫如美國，美國社會的生活方式已經使人變成了機器，任何行業，都已分工到了極微的程度上。這樣的生活，把人變成了機械，人要做的事，只是機械要做的事，單調而冗長──這樣的生活，機械是可以忍受的，可是人因為有一副心靈，可就無法忍受。社會發展成這個樣子，便產生了早年的「比尼克」、近年的「嬉皮士」來，他們用與現實相反的行為來對抗，目的便是不滿於這種機械的生活。

　　有些美國青年，他們不惜流浪到尼泊爾那些東方的神秘小國中去，無非是尋求精神的寄托。

　　儘管那些人的行徑乖僻，實質上卻說明了他們正在追求着心靈的滿足，偏是，美國社會的文藝已淪為少數人的裝飾品而不面對廣大心靈，所以，他們的空虛是無從填補。不過，這只是社會的一面。

　　一些有心的社會學家已經提出，呼籲人們注意心靈問題，

實際上，古典音樂正陸續在歐美引起人們的回味，探戈狐步又回到舞池之中了——這是一線曙光呢！

這些話似乎來頭太大。大凡來頭大的話，多數是空洞而不切實際的，要引歐洲美洲的例來證中國或僅僅來證香港，也就未免過迂，不過幸好有一點可以自慰的，歷史原是有軌跡可尋。歐美的軌跡，因為他們走得快，就給我們在後面走着的人看到了。走得慢的我們，會不會也是如此走法呢？我相信極可能如此。

歐美人士已經覺察到，他們失落了心靈，才出現如此可悲的現象，他們暫時並未回頭撿那掉下了的文學藝術，但我以為他們終歸有一天會伸手去搜查那在路邊的文藝。

我們，又何嘗不會把擱在一旁的詩拉到心靈中來？

十六七年前，我們的狂熱一定會燃在此刻的年青人的心靈之內，一位曾經追尋詩之夢到過澳洲的讀者阮逸姬和我說，她喜歡詩，也為詩而付出心力，到目前為止，她願為詩做些事情。我聽了，很是感動，而我在這兒一再寫到談詩的文章，引起的反應，使我堅信新詩未死，所不同的，即是今日愛詩的人比當年愛詩的人更成熟些，而環境迫使他們非冷靜些不可。

（二）

心靈的軌跡是可以追尋的。物欲到了某一極限，人們便會覺悟而自行鄙棄。

現在的問題看來不在於此，而在於詩的延續。否則，到了物欲之蔽被揚棄，而詩已死亡，在那種難堪的局面，從頭再

造，道路就走遠了而且走冤枉了……。

詩，也有一條軌跡的，在此時此地重溫一下，它的意義不是憑吊，不是依戀、而是尋覓。

尋覓什麼？

尋覓失落的夢、尋覓迷亂的自信，尋覓已走過而摒棄了的那條曲折的小徑。

中國的新詩運動實際不自「五四」始，我們偏常提及「五四」，只因為那一時期是「新文學」萌芽期，新詩在那時開始摒棄格律，後來的詩人，便把這日子作為一個起點。

其實，一件事的興起，有近因也必有遠因，清末的維新運動不僅限於政治，並且涉及文化，同時也涉及詩。西方的東西被一些人搬過來，便有文化上的「中體西用」論。一九〇〇年，義和團所引起的政治文化波瀾，使當時的志士如譚嗣同、夏曾佑、劉光第、楊銳等人流亡日本，他們因有所感而寄託於詩。梁啟超的《飲冰室詩話》就指這些人是「新詩運動」的萌芽，梁啟超似乎並不同情詩運動，所以他在詩話中說這些人的「新」，十分可笑，他引這些人的詩：「綱倫慘以喀私德，法會盛於巴力門」，來大加撻伐。所謂喀私德，是 Caste 的音譯，指印度人的等級制度；巴力門是 Parliament 的音譯，指英國議院。當然，這只不過是詩的皮毛之變，他們用的是舊格律來裝新（西）名詞，距新詩的意義十萬八千里，但是我們似乎忽略了這種「提示」作用。在後來，我們所承認為新詩的冰心（謝婉瑩）的《繁星》、《春水》，搬的是泰戈爾的體裁；徐志摩的《莎揚挪拉》，被傳誦一時——

最是那一低頭的溫柔，

　像一朵水蓮花不勝涼風的嬌羞，

道一聲珍重，道一聲珍重，

　那一聲珍重有甜蜜的憂愁——

　沙揚挪拉！

這詩仔細的體味，和喀私德，巴力門不過是五十步笑百步。因為「沙揚挪拉」是日本人「再見」的音譯，如此而已。

徐志摩有一點能賺得同情的，是他使用的不是舊格律而是新的，解放了的詩體。

當然，揚棄格律，實在是一件「茲事體大」的變革，所以新詩發展到今時今日，由舊詩薰陶出來的詩人，總念念不忘於替新詩製造一套新的格律。早兩三年，朋友中就有不少人提出了什麼新詩七要領，什麼新詩十守則，他們醉心的還是格律，這不過是以他們自己的格律去代替祖先的格律，你說，新詩如此的大張旗鼓，那是為了什麼？

我在那一階段時寫過一冊小書《論詩》，真正板起臉孔來談詩的問題，到今天，回想起來十分可笑，不過，我仍然相信那時的熱情，是有點鼓勵作用，而那時我所說的其中一段，也可以移作今日的話題——

我當時說，新詩人在板起臉孔反抗傳統，即是反對「從古」，而讀洋詩的人拼命介紹外國的古典詩，那些十四行商籟體，很認真地去分析它的「三音步」、「五音步」、實在就是摒棄中國的古而去從西洋的古，無疑這種做法是「以暴易暴」。

《論詩》這冊舊作，許多觀點我都推翻了，這一觀點我卻

認為必須維持。

新詩，由譚嗣同他們的外國名詞入中詩格律，到徐志摩的外國名詞加新式排列，所做的工夫都是破壞的，綜括起來，破壞的實在太多，建設的卻做得太少。

以我的朋友為例，就顯得對新詩的貢獻很尷尬，我看許多朋友的新詩，都逃不出舊詩的掌握（其實大家都從舊文學的薰陶中鑽出來，這也是無可奈何的事），《當文》的主編徐速，他的詩集便是一例，他有許多新的情感，可是冥冥之中有一隻如來佛的手掌在攤開，這位現代孫行者，儘有一身藝業，一筋斗可跳十萬八千里，卻跳不出舊詩的神掌。我寫過不少詩，雖有朋友勸我印行一本詩集，直到今天我還畏首畏尾，便是因為曾經想過能否跳出那一個碩大的如來神掌的問題。我不妨引述一下我的小詩在這兒給大家來一番「鞭策」，下面是一首題目「為什麼」的小詩：

> 一棵棵直立的影樹
> 風掠過
> 雨灑過
> 你不曾為它關情
>
> 一泓泓的心波
> 憂來時
> 喜來時
> 你還是那麼寧靜

偏是那罣笑無端的人兒

你卻招來無端的小病

　　這真是一個可怕的如來神掌，它的可怕，不在那詩意的纖
巧，而在那詩境的因循，我自問無法擺脫那種「賦、比、興」
的傳統教育的陰影。這首詩是十六七年前的舊作，當時自以為
十分陶醉，實際上，這些詩境，都從詞章中獲得了暗示，在我
今天看來，這種暗示是足以障礙「新境」創造的絆腳石。

　　稍後，我以為我的詩曾經有了一點進步，我那一首「夢底
禮讚」被朋友認為有了些新的意境，不過，我卻仍認為還在那
巨掌的邊緣，這首詩是──

　　　　霧在夢的端峰

　　　　夢在魔掌底下

　　　　哀怨在生之唾沫與淚裡

　　　　激情的壓抑構成英雄

　　　　哭與笑

　　　　哀與樂

　　　　埋在底層

　　　　傲視動物的動物說

　　　　　　這就是人

　　　　夢玩弄了所有生物

　　　　夢刺繡成一朵朵浮雲

夢繞繞在非夢的夢境
於是——
人會訕笑
人會讚美
那些縹渺在遼遠的
不屬於人的事物

從頭去體味，總覺得離「創境」的心願太遠，這種詩，
在心靈上劃起些微的波瀾的願望是否能夠達到？我不敢過份希
望，而我卻在這一階段之下，詩情整個崩潰下來了，這是我對
詩的熱情的「坦白書」。

（三）

幾年前回頭讀胡適的《嘗試集》，讀來覺得很生氣，我
想，要是新詩是如此這般，倒不如乾脆用舊格律來注入新境。
不過，我仍佩服胡適的那一句：「雅氣勝於暮氣」。
那一階段，和好幾位能寫詩的朋友常常碰頭，談起來很感
投機，因而有了許些作品，那時我寫過一首「蒲節寄故人」：

最憶環湖愛晚晴，熱風薰沐試調冰，
每因酒濁心先醉，縱使情多意自清。
節令易添遊子恨，夢魂常喚故人名，
南陲翠陌春如在，綠樹紅雲繞碧城。

我之所以引用此詩，目的是在試圖用同一內容來摒棄格

律，試作一首新詩，可是，我的嘗試是失敗了，這失敗，給我的結論是，假如用胡適的《嘗試集》形式，成功的可能性一定高，問題卻在我不願那麼做。

這「事件」給我一個教訓，儘管像上述那首「排律」的意境實有所感，也實有所指，符合了胡適所說的：「凡是好詩都是具體的，越偏向具體的越有詩意詩味。」但是，我卻認為舊文士的情感太多，新時代人的氣息太少。

就在這段時期以後，我對新詩與舊詩之間，引起了一種「孤憤」，我重又迷戀舊詩，便是「孤憤」底下的發洩。原因無他，搞新詩的人太可惡，他們寧可出來推廣暮氣，因此而扼殺了青年詩人所特有的稚氣。

後來，有些新詩人忽然走向一條老而新的路子，把李義山的靈魂從墓裡挖出來，聽說果然能夠完成一種「自圓其說」的理論。這就令我的朋友感到新詩無路可走的說法滋生出來的淵源了。

我的朋友中，像徐速、蕭輝楷、陳潞諸兄，都是從舊詩的教育或舊文學教育中薰陶出來的。不久前，我從陳潞兄那兒讀到蕭輝楷兄一首詞，使我感到是近人中不可多見的作品，我曾抄錄下來，可惜一時不知塞往哪裡，所以想引用也無從引用。最近，陳潞兄因新詩人在鑽義山的老路，他也仿義山體，一口氣作了四首，讓我引用一首來作個見證吧：

花是明姿雪是肌　背鐙移坐悄言時
金鑰密貼心鎖近　綠帴輕拂眼波遲
纖掌篆紋摩暖玉　柔腰無骨見凝脂

春光未向隨園盡　一縷微溫入絳帷

　　像這樣的詩，縱然是舊格律，但實質上卻寫的是新事物，不論依胡適的原則以及依新詩人走「義山老路」的洋學士，總該符合了他們的說法了吧！

　　從這些路向，反證了今日新詩的可憐相，我想，這不光是我的詩情崩潰，相信對詩有認識的人也同樣感到崩潰。所以，我的「孤憤」發展起來，忽然意動，寫了一首一九〇〇年譚嗣同、夏曾佑時代的「新詩」來，這詩是——

　　　　拉乎方式日提高　開口爺時閉口撈
　　　　方便宜穿迷你褲　拍拖常入好她廬
　　　　舖非抵食因多樣　芝士雖香卻帶騷
　　　　有暇濕平真寫意　支銷每月怕滔桃

註：拉乎（LIFE）生活也；爺時（YES），係也；撈（NO）唔係也；迷你（MINI）短小也；好她（HOTEL）酒店也；舖非（BUFFET）自助餐也；濕平（SHOPPING）行公司也；滔桃（TOTAL）合計也。

　　詩而要註，當然是荒天下之大唐，但是，像這樣的詩，你以為不註，行麼？

　　當然，這是不足為訓的，這只是我個人的孤憤，也是我個人對那些煞有介事的詩人一種抗議。

　　對於新詩，我寧願重複我不久前在此說過的話：「媽媽媽媽呀！我要一個結他！」這便是「稚氣勝於暮氣」的重要註解。

由「命題」到改詩
——與史旅洛試談詩的見解

（一）

連續在《當文》寫了好幾篇談詩的文章，中間曾經接過許多讀者的來信，有些提出問題討論，有些兼及其他，對於發抒己見而能獲得感應，是一個寫文章的人感到莫大高興的事。

前天，徐速兄從電話中告知，收到了一篇遠地寄來和我討論〈一腔孤憤又談詩〉的文章，希望我先看一看。我便請他馬上寄來給我。

次天，我收到這篇文章，才知道是由星洲寄來的，作者是史旅洛先生，他對我那篇文章提出許多異議，使我看了頗有所感。

雖然，這篇大文中間對我的作品和見解大大地撻伐一番，但我仍然覺得有人提出不同見解是文壇中的可喜現象，因為文藝這東西絕不是「定於一尊」的，何況又是在學術思想自由的海外？因此，我趁這幾天有些時間，也來談一談這個問題，我得聲明，這只是談而非辯。

史先生這篇文章是否會在《當文》發表，我不知道，那天通電話時徐速兄並未提及，以我個人而言，我是絕不介意的，相反的，我倒希望這篇大作能夠一字不易在《當文》發表，使讀者們也知道有這種見解的存在（當然，發表與否，是要由

《當文》主編來作決定的）。

（二）

讀完了史旅洛先生的大文，我發覺他對我「談詩」的原意瞭解得不很充份，起碼，我相信他並未全部看過由去年起我所寫的最先一篇〈稿費與詩〉所拉開的序幕。我覺得由那篇雜文引發，連續談了幾篇關於詩的文字，中間是有着一些連貫性的。

依我個人的原意，一連寫了好幾篇談的文字，基本的動機原無意於對詩提供甚麼，只不過因為看到一些拿傳統詩的魚目來混新詩的珠，氣他不過，發而為文，基本上的企圖是想對這一些人撻伐一番。豈知，惹來了史旅洛先生的誤解，也把我推向那一羣人中間去——這是件可笑而可哀的事情。

也許由於我的表達不夠，或者由於我的「曲筆」而招來非議，單是我提到徐速兄那一句「其實大家都是從舊文字薰陶中鑽出來，這也是無可奈何的事。」也令徐速兄感到不愉快。這句話我原想早在兩月之前略加辯解，結果還是基於個人的原則與實際工作日以繼夜的忙碌而打消了這個念頭，想不到這也成史先生的話柄。

我以為應該一再提及的這是真正的「孤憤」，我所「憤」的目標，是我所見到一些老先生搖頭擺腦在搞老秀才式的朗誦，一些老先生又把舊詩的濫調鼓勵新詩的因循，是以我才有「氣他不過」的話題向廣大愛詩的人「申訴」（注意這兩個字，因為我早就認為我不該再談詩了，我不想做詩人，也不想做詩

理論家，我的詩齡早過，詩情早失，而所有作品都是很久很久以前的）。

　　史先生對我誤解（或許可以說是曲解）的第二點，他重複我那句「我的朋友為例，就顯得對新詩的貢獻很尷尬」，依他的大作語氣，以為我要對新詩作甚麼貢獻而作不出來，假如他真這樣想，這錯誤最大的不是我而是史先生。因為文藝的成就（或稱功罪），和政治的成就（或稱功罪）都一樣，是要留待以後的人下定評的，這方面，作家本身是無權的，如果史先生連這一點都不懂，他的評論就顯得欠缺了常識了。我的「無可奈何」，並不等於「前人的規墨不好的」（這是史先生的原文），而我所表達的意義，是指我們曾受舊文學的影響（這是千真萬確的事實）。史先生要在這些地方節折空談，似乎對我個人是欲貶而實褒，這也是「無可奈何」的事。

　　我個人在〈詩樣年華〉中，也不限於我所列舉的兩首，舉凡我所有寫出來，包括已發表及未發表的作品，都一律覺得「很陶醉」。我想，許多年輕朋友的心情應該和我的並無兩樣，否則，也不至於產生一股寫詩的情懷。依我推想，史先生有這樣批評的興趣和勇氣，也是是由於具有「自我陶醉」的原動力而產生的，否則，又何以會有這篇文章的出現？

　　我所列舉的兩首詩，是隨手在我的存稿夾中抽出來的，幾乎等於到黃大仙廟中求籤那樣，把籤筒一搖，跌出了這兩枝籤。我自己留存的詩相信有百來首，失去的也相信有百來首，我不會想到有甚麼「代表作」，我不珍惜我的詩作，是近十年來的事（十多年前還是珍惜的），要是我珍惜它，我早就在好幾年前編印一本集子了。起碼，在我接觸到或有關係的出版機

構，只消我提出，他們也樂於替我出版一兩冊詩集的，而我卻志不在此。

（三）

史旅洛先生以老師的態度對我的詩作講解、指導，在未談論其中的細節時，我先表示我對史先生的感激。

像這種「好為人師」的態度，我在廿多年前也曾出現過。當我剛離開學校時，我對甚麼人都感到不滿，自然，也對甚麼人的作品都覺得太不充實，其實，這種心理分析起來，就是由於別人的作品太不跟隨自己的觀念。

史先生評我的作品，和他的論調又似乎「並不一致」，他強調了「命題」，又要看重「詩境」，使我模糊不清的地方就在這裡。也許史先生以為「為甚麼」這三個字是不能「命題」的，而他的意見是「命題」必須摘錄詩中的「意」。依我所知，許多「無題」詩，他的「命題」和「為甚麼」來比，照史先生的邏輯應該更糟。說實在話，史先生這一論點不只我不同意，而且大大的認為是錯誤，大抵他所認識的「命題」是立一個漂亮的題目，而我所認為最重要的是「題旨」而不是那一行「題目」。不論這首詩用「為甚麼」也好，「無題」也好，只要它的題旨含有更豐富的意象，便已足夠了，這猶之乎當兵的人命名為張得勝，它並不一定在打仗中得勝一樣，重要的是必須他得行兵佈陣，才能保障「得勝」的願望。

史先生說我列舉的兩首詩的意境不知究竟有何分別，而我，卻看不出他指的又有何相同，尤其是他指「似馬非馬，似

鹿非鹿」是何意思，我倒想聽聽這方面的意見，可惜他不會具體說出，這是十分遺憾的。承他看得起我那首〈夢的禮讚〉第一節似乎有「現代詩的傾向」，最可惜我根本不懂甚麼是「現代詩」，甚麼非「現代詩」，我在許久以前曾試拿「少年聽雨歌樓上，紅燭昏羅帳」那首詞試譯成兩種「流行」的新詩來表達我對詩的見解（見香港筆會出版的《香港詩選》）。這中間，我就認為新詩便是新詩，無所謂「現代詩」，或「非現代詩」，至少，我無論如何不承認那一句是現代詩，那一句非現代詩——這也不一定限於我的作品，其他詩人的作品我也作如是觀。因為「現代」的界說，在高叫「現代詩」的詩人觀念中就說不清楚。

史先生舉他的朋友郁谷平的〈亡魂曲〉為例，認為郁先生的詩很好，我想，由廣大讀者來作評價會勝於由我或史先生來評價，而史先生已經以國文老師的姿態把郁詩解得淋漓痛快，既「很難理解」，卻又「早已強烈地對讀者顯出其主題與詩人的感情」，可惜偏是我並不「共鳴」，這又是「無可奈何」的事。

（四）

因為史旅洛先生要替我改詩，想起了不久前一位加拿大讀者由「高原」轉來一首詩要求我替她提供意見，我給她回信也替她「改」了。但我聲明，所「改」的我已盡了最大的努力去保留她的「題旨」（或許是史先生所稱的「命題」，可是我卻不同意這是命題），同時又聲明詩原是「不能改」的，我所做的不過是我的修辭，我希望她用自己的修辭來另外重寫……

問題就是這裡了——

我以為任何文體都可以讓別人修改，小說可以，因為小說是「具象」的，譬如一篇小說把主角安排自殺而結束，在某種觀點之下，應該鼓勵生之意志，可以替他改動，挽回他的生命……散文也可以，因為散文表達的內容也是具象的，惟獨詩就不能改，尤其是史先生口口聲聲所一再強調的「詩人情感」是不能改動的，儘管史先生把拙作改得很不支離破碎，可是，我的「感」卻絕不如此，那不過是史先生的「感」罷了——這又是「無可奈何」的事。

看史先生的觀點似乎很有「霸氣」，他認為用浮雲來襯托夢是詩中的敗筆，而他後來又要把拙作改為「輕擁一朵雲」，似乎在肯定了雲可以擁而不可以襯。雖然我常常擁雲（我太太的芳名中有一個「雲」字，一笑），但我仍然認為雲是不能亂擁的。基於上述的原因，史先生花了偌大的精力替我改了詩，我卻不敢領這份情，因為那首詩只能算是他的，我想在他所改的「意境」之中去「感」出我的心意，「感」了多次，總覺「感」不出來，而他替我下了註腳說直立的樹影是形容詩人孤獨的等待「未免嫌於直接」，但「輕擁一朵雲」卻看不出怎麼間接來——還是「無可奈何」得很。

其實，我由〈稿費與詩〉一文開始直到〈孤憤〉為止，我的「新詩」見解完全是寄望於新一代（那是可以找歷期《當文》來覆按的），史先生的誤解，要不是他的認識有問題，便是他忽略了我的「孤憤」的原因，儘管有許多不同意之處，我仍然認為有「異議」才顯得多彩的可愛。我不同意史先生的「一尊」態度，最主要點是他肯定這句不能命題，那句不能襯夢。

事實上，美，必須百花齊放，桃花紅，李花白才顯出大自然的繽紛，如果桃李菊葵百花都是紅的，那是頂糟的現象。感情的泛現，同一人也會因時緣地緣的變異而有所不同，何況你的所感和我的所感隔了一個南中國海？即使同在一地，也會因歷史背景和教養而有歧異呢！

因為史先生的批評，我本來無心出版一冊詩集的倒引起了這個興趣來了，希望短期內我能騰出一些時間來整理一下，然後交給出版機構付印，屆時再向史旅洛先生請教吧！

我這篇東西是「談」而非「論」，是「探討」而非「辯難」，如果史先生或其他讀者誤解了，我還是會「落荒而走」的。因為辯論問頭，必須有起碼的常識與起碼的氣量，假如連這些都沒有，只懂得斷章與揚己，談已是多餘了，論更非對象呢！史先生，請了！

新詩的創建

（一）

由於談詩引致了反應，使我產生了一些興趣來，少不得把心思再放在詩的問題裡。

是的，今日的新詩，正在十字街頭，儘管幾年前港台兩地不少人在詩學上有過很多發揚，可是，在今天，事實擺在眼前，顯得異常沉寂。依我個人看，這種沉寂，必須請熱心的詩人去找尋答案，假如詩人們仍然閉上眼睛，硬說新詩已發展到某種程度，或者說「現在詩」已有了定型，便大張旗鼓來黨同伐異，簡直是「不知人間何世」。

是以，我以為今天的情況是先要尋求新詩為甚麼不能發揚光大，然後再指責這樣那樣，比較實際一些。

為甚麼我說新詩如此沉寂？

說來也十分可哀，香港雖有好幾位「老詩人」在哼哼唧唧，依我的看法，他們不能列入新詩的行列，原因是他們只把舊詩詞的套子拆開分列成行來當作新詩——這便是我在《當文》不久前提出來談過的「暮氣」。

為了方便表達我的見解於讀者面前，我想在這兒先說一說詩詞的套子是甚麼，才不致於引起像上期那位替我改詩的先生那種典型的誤解。

舊詩詞有幾種濫調，那完全是由農業社會、官僚制度、傳

統觀念所造成。

濫調之一是傷春悲秋思想，因節序而引申哀傷，不管環境如何，情緒則必然是對花垂淚，對月懷人。到頭來，便不大着意去瞭解詩的人，以為詩，便是如此，拿起筆來，毫不考慮，便把一片傷感與花月的詞語找出聯繫的理由來。

濫調之二是收京破虜思想，因時局而引申濫調，不理會時代變化，既以孤臣孽子自居，再以別人收京，我享其成的士大夫惰性自況，使人以為詩便是局限於收京破虜才能成誦，拿起筆來，便感時傷別，人人如此，字字如此。

濫調之三是山林隱逸思想，感慨世路崎嶇，而興離塵世、歸山林，兼有「仕宦而致將相，富貴而歸故鄉」的士大夫的美夢。使人誤以為詩只是鼓吹山林隱逸的工具，拿起筆來便是滿紙解歸山林的囈語。

上述三者，便是帶着暮氣的詩人潛藏在心底的思想套子，不管他拿筆寫律詩絕句也好，寫現代詩也好，他們筆底會隱約掉出了這些心聲，我們如果發現了這種濫調，就很容易區別出來，即使他們在自以為推動新詩，而實質卻在延阻新詩。

這是存在的東西應該澄清的一面。

新的詩人的大量產生，也非新詩之福。這話怎麼說？

要推衍這種看法，很容易招致「門羅主義」之譏評。因為有興趣於詩的人，哪一位不渴望自己成為詩人？然而，成為詩人的人，許多時候都是憑一股勇氣來達致，這情形和幹革命的情況相同。所有幹革命的人總覺得未革命前的社會這樣不對，那樣不行，因而奮袂而起，把原有的社會政治整個推翻，換上了自己所想像的社會政治。當然，革命成功了，群眾自然不得

不隨聲附和，那些革命家也不理會自己的制度方式到底行不行，便瘋狂地以救世主自居。換轉詩人的情況，也彷彿相似，有志新詩的人，他們會摒棄掉所有傳統詩的格律，另行了他們所想像的、懂得的和摸索到的方式，也沾沾自喜地以為這便是詩，這便是詩的典型或範本……

這種詩人勇氣有餘，理解不足。

個人總以為要成為一個詩人，起碼的條件是知其然而必須道出其所以然。換句話說，一個詩人寫得出詩，還得對自己的作品自圓其說——其說是否能完，還得靠詩人自己虛心地推己及人——表達給自己，也表達給廣泛的人。

大量產生新詩人並非新詩之福，便是容易造成混亂局面。具備詩人的條件而各門戶，立即黨同伐異，這是造成混亂之一；未具詩人條件而把作品來炫惑世人，這是造成混亂之二；好高騖遠，尊古崇洋，了無定見，這是造成混亂之三。說來說去，大量產生新詩人並非新詩之福，歸結來說，指的是新詩人好作詩而不思考，才會招致這樣的結果。

要使產生新詩人而又能造福新詩，則新詩人的起碼認識是能夠藉一種發現或一種認識去進行創作，這種發現或這種認識引入創作的基礎概念之中，這樣的詩人，才算是健全的。認識力與創作力的發展是必須平衡，畸輕畸重都會變成新詩的羈絆。

這是發展着的東西應該認知的一面。

（二）

「新詩是奢侈品」。這是我一再重複的話。

舊詩（即古典的詩或詞）的語言，不是口語的。文學革命以後，人們似乎在要求一切文藝要屬於大眾（左派説法是人民，右派説法是國民）。然而，詩卻始終不能屬於大眾，詩，是文藝的鋼，必需百鍊才臻上乘，因此，新詩的語言，雖非古典的文言卻是現代的文言，簡單來説，她絕不是平白的口語，而是典雅的口語。古代人所尊崇的，是白樂天的詩，柳永的詞，便是平白中的典雅。換在今天，我們又可以重視它的平白中的典雅處。

談詩的道理，我認為古今中外，都有理由可以相通的，新詩廢棄五七言的字障，廢棄平仄的音障，廢棄絕律的格障，開闢了自由而無拘束的道理。粗看起來，似乎要變成一匹野馬，然而，這野馬之所以無法使人感動、令人同情，想來基於兩種原因：一種是不去探尋格律的影響，一種是過份追求格律的束縛。前者是無視語言的腔調的天籟，後者是尋覓西方的音步與韻致。

説穿了，音韻是語言文字的優美形態。因為我們日常説話，要表現出人的情感，腔調就非有抑揚頓挫不可。所謂抑揚頓挫，便是語音高亢與低沉的交替。我們説話，使人悦耳動聽，少不得仔細去構造語言的音份長短。這種音份，是古代相傳下來的平仄及平上去入四音。

當然，今日新詩人是深惡痛絕於甚麼平仄的陳腔濫調的，他們會嫌那種束縛，是不應該背負起的包袱。其實，所謂平

仄，無非是指語言的高低抑揚，新詩對抑揚頓挫的需求，和舊詩對平仄的需求同一道理。所謂平仄，所謂抑揚，其實是一而二，二而一的東西，不過是舊式說法與新式說法不同而已；西方人把詩也壓進了模式，和我們的古典詩詞也沒有甚麼不同，大家都受規律的約束，大家也在磨鍊着語言的雅化與韻味化。東西的不同，只是稱謂的不同而已，古人的平仄，是今人的抑揚，中國的律絕，也同西洋的行格。道理很簡單，中國人衡物稱斤，外國人衡物稱磅，十六兩和十二兩之間，是可以運用算術來尋求共通的數字的。

從這些地方看，可知詩的古與今，中與西，十四行也好，排律絕句也好，抑揚也好，平仄也好，精神上，理論上是有其相通之處，這也難怪一位吃詩飯的人標榜着「現代詩」體而賣其李商隱野人頭了。

從這些地方看，古典詩與新詩，不在於它的韻律與音調，而在於它的命意與題旨，大凡有濫調的，一定不是新詩，大凡沒有今日人類的情感與觸角的，也一定不是新詩……

經過這樣的解剖，我們尋求的字數排列與語音節奏，在一首新詩的界說中便顯出有其自由的廣闊面了。唯一的需求，是符合語言的頓挫，以及表達的完整。是以，這種形式的要求，首先顯出了解放掉古典詩詞那種斤斤計較完整對仗、硬性四聲、聯與聯間的粘，起句與收句間的平仄互見的痕跡。而新詩的所求，是求命意與題旨的脫出巢臼，創造意象與吻合人生。道理也就更簡單得多了。

（三）

　　個人最不喜説莫測高深的理論，又不喜漫無標準的做革命家式的詩人，最服膺的還是能夠「自圓其説」的創作。

　　我一向都説新詩是「感性」的，所以，把一種「感性」完整地表達，大凡能操縱文字的人，都應該可以成為詩人，不過，大多數感性觸角敏鋭的人，在操縱文字還未成熟時，雖有詩情卻無詩體，這是很需要多做表達功夫的。而這樣的人，距詩的境界可以説是最近；距離詩境最遠的人，卻是文字成熟而情意因循的人，這種人，並無自己之所感，有的，都是感別人之所感，這些，依我看都不能算是創作。在這方面，我找出了兩句最簡潔的法則來，那是：

　　有話應能達，無感不成詩。

　　《紅樓夢》中，黛玉教香菱作詩，她的話就説得好：「……詞句究竟還是末事，第一是立意要緊。若意趣真了，連詞句不用修飾，自是好的：這叫做不以辭害意。」這位通身是病的小姐，論理她才是傷春悲秋的人，然而，她的詩清新絕俗，能道出別人所未曾道的，就是因為沒有因循的惰性，她的詩被評為好詩，原因在此。

　　正因為詩是「感性」的產物，自然每一個人的所感就有背境、遭遇、學養、視野等等不同而有所區別。因此，詩，便只能欣賞體會，而不能責異從同，若持此來指責別人的詩，這種指責，價值一定很低。而這種指責，不應該是一位批評家之所為。

（四）

　　這篇文章雖然很粗率，我倒覺得能夠道出新詩的一種規範的輪廓，以這論調做批評的基調，多少也不致於違背「感性」的前題。

　　新詩，很需要愛好者去深沉地思考；新詩不單是一瞬感情的衝動，她是發現的、創建的、低徊的，她是敏銳觸角下的產品，而不是經驗依循的再現。

　　也由於這些原因，新詩是十分奢侈的，她是沙龍的陳列品，是廟堂之器，她不會是兩眼發直，腦筋麻木的人的東西……

理論與夾纏
—— 再談新詩問題

（一）

　　《當文》的編者在催稿的電話中，和我約客談起收到好多篇談詩以及牽涉到在下的文字，我對此很覺冷淡，本來就立定心意只談一談便不再提了，無奈史旅洛先生咄咄迫人，也只得約略再說幾句。在文前，我得說明一下，我不打算像史先生那樣，抽出對方一句話，對照上一句話然後加句為甚麼。我以為如果用這方式，等於三姑六婆的對話，你殺我千刀，我斬你萬刀，到頭來，於事無補，於理未明，世界紙荒潮仍未過，何苦來浪費那麼多的紙張？

（二）

　　史先生再提禮贊的贊字，並舉了出處，原來出自矛盾的手筆，看來他仍然非議在下維持贊字的原意。事實上，矛盾並不等於對。

　　他再度非議我請他參考東方朔傳和孔融傳，以為那是古書，沒有意義，我卻不知道找茅盾的東西來作證又有甚麼意義？依我的猜想，他無非想我依從他的說法而已。如果說，古書不可靠，便等於我寫的贊字錯了，那麼，和我一起丟臉的有

《辭源》、《辭海》的五十多位文字學家（這些應該是今人的作品吧，因為他們的時代早不了茅盾多少年）。更不幸的，在史文發表的同期，也有一首新詩的標題有禮讚兩字，這樣說來，又多了兩位（一位是編者、一位是作者）和在下一起丟臉。

老實說，我是最原諒錯字的人，在香港，大多數報刊都是錯字連篇，尤其是報紙，沒有錯字那一天就算是奇蹟。（不過香港倒真有好幾家報紙沒有錯字）我是「此中人」，知道此中的道理，錯字的原因複雜，包括工作人員的樂業精神和待遇、兼職等等不同關係。是以，大凡有幾個錯字，談起來我都替他們解釋，人非萬能，人非電腦，豈能長期保證？是以史先生斤斤計較那個贊字，我早就沒有意思再說下去了，偏是他抬出矛盾來，似乎在說：茅盾必對，《漢書》必錯，真正是「我的天！」

（三）

說了這麼多次，史先生仍然夾纏一些枝節，我實在不知這樣談下去有甚麼意義，我引自己兩首詩來談問題，並無意於自我吹噓，只表示我前後期的改變，也無意公佈自己的「代表作」。照此說法，史先生的心意必然以為引詩就是表演代表作，這也難怪他一再抄錄自己的詩來作廣告了。也由此，我發現史旅洛先生的潛在意識，他不容許我印一本詩集，而依此想法推衍，他應該設立一個新詩審核委員會，主任委員當然是史先生，其餘的審核者應該是服從史先生意見的詩人。

（四）

　　我對新詩的看法自有我的見解，我以為在史先生的審核委員會未成立之前，我應有自己意見的餘地。

　　我不以為新詩之中有現代詩的區別，早在史先生未抨擊我之前已經說過了。當然，我知道這見解會招致自命為「現代詩人」之輩起而非議，但我從他們的作品和理論之中，找不出一個「現代」與「非現代」的界線，儘管他們不斷的發表不同的說法，又指出這句是「現代」，那句「非現代」，可是，這界線是甚麼！不說倒還清楚，說了更糊塗。是拿時間作標準麼？他們搖頭，以空間做標準麼？他們更苦笑，尤其是史先生以能分析「現代」「非現代」自居，他只說過：這句像現代詩，那句不像現代詩，以擅於改詩而又博學的史旅洛先生尚且說不明白，教我們不相信現代詩的人又怎麼模索！

　　很久以前，我也談過一些有關文藝的問題，我對一些人自命為「我是甚麼主義」的作家，說了一些見，我以為一個作家，只要把自己的思想灌注在作品之中，前後如有一貫的風格，他自然形成了一種特性。一般人稱甚麼主義，便是依循風格而來，作家大可不必斤斤計較自己是甚麼主義，這工作留待日後的批評家在整理某一作家的作品時，自會發現他是甚麼主義的，何苦來急着表現自己？

　　起碼，我對所謂「現代詩」，也持此態度，是以我不相信有「現代詩」的存在，基本上也是持此態度。

（五）

不是我小看了一些人，我總覺得發而為「論」，是很重大的行為，所謂「現代」作家，似乎對此十分漠視。他們以為自己「說」了，便是「論」了，很多人（尤其是談新詩的），他們一聽別人引用了舊詩，便肯定全無價值，只有「前無古人」，才「後有來者」。我個人過份服膺「文章學」，所以重視這些。我相信沒有一種創發，談任何問題都屬因循，如果依了別人的說法去重複，是最浪費筆墨的勾當，是以，我的抱持是舊小說那句「有話則長，無話則短」。今天在這兒談新詩，我以為已脫出了我自己的戒條，說來說去，若只糾纏私人問題，於理論無創見，於說法難以自圓，縱使一再引用自己的作品來表揚，又有什麼用處！

因此，我建議史旅洛先生談談你的「現代詩」的創見，會比尋章摘句，斷章取義更有建設性。

認定古代的東西不適宜現代，大抵是「現代詩」的詩人特性，如果強求「現代詩」的定義，只有依此特性去推測，因此，史旅洛先生不相信《漢書·方朔傳》、《漢書·孔融傳》可以證「贊」字，只相信矛盾，自是大有其「現代」的道理，也因此，我們可以抹煞掉字的規律性了，也大可以各寫各的字，各解各的義。因為它根本不是從古代來的，自然也不能證某字是錯，某字是對，因而，反證了「現代」是無根的，沒有沿革的，自然是「現代就是現代」，不需作甚麼解釋的。

（六）

新詩給人詬病，說起來，是「詩人」們自視過高，沒有誰脫出主觀去思考一條應走（或可走）的道路，大多數人都有「黨同伐異」的潛意識。這情況，必然是新詩發展的一大障礙，至少，大談「現代詩」的人沒有充份的理論來說服別人，只有像史先生那樣說法「連現代詩是甚麼也不懂，談也無益」的「現代詩人」，你以為別人就乖乖的趕快裝懂，站到旗下了麼？

作為一種文學的流派，做開山祖師先要懂得唸唸有詞，做搖旗吶喊的小卒也得有一把旗。我的看法便是如此，現代詩，至少在目前仍未有足夠的理論解說它的界性，只說「不懂，談也無益」來搪塞，這是對呢還是錯呢？我不承認有現代詩的存在，已經舉出了理由，誠如相信某種主義，反對某種主義的人一樣，大家都有這種權利，不見得我不相信某種主義便大逆不道（當然指的是在自由社會中，若在極權社會之內又當別論，除非是史先生真的成立一個新詩審查委員會來統治所有詩人）。

（七）

我與史旅洛先生談詩，談到這裡為止，不管史先生以後說些什麼，別人又提出些什麼，我決定不再談下去了。只談枝節或找機會宣揚自己的人很多，我覺得犯不着在這兒做陪襯。

我還有一個「女巫水晶球」式的預言，接踵而來的「論詩」參戰者會不斷把自己的詩引進文中。大家不妨會心地看一看——這也是一場有趣的魔術。

從詩態到詩境

一、詩的起點是演變

談起詩，很容易引起不必要的紛擾。這兒所談的「詩」，是指新文學運動後所倡導的「新詩」，而不是指傳統的「舊詩」。因為新舊爭議已經存在很久，而新的走向一直未有「共識」，不同見解的辯論和排斥，便成為建立不起共同理論的絆腳石。有些原因，很多人都怕提起這個問題，也許為了這一問題缺乏傳統以外的論據——因為舊詩的論據已被新詩所排除。而「詩」在文學革命以後的文學領域裡仍然各行其是。

詩的演變，在我國的歷史底紀錄，同樣和古希臘及世界各國一樣，由民間的歌謠，經過漫長的滋長和有系統的文字連綴起來的一種原始形式所蛻化的形制。最初的文學形式，就只有韻文與散文兩大類；凡押韻的句子都稱作韻文，無韻的作品都稱為散文。這兩大類的演變，自從有文字記載，把遊牧、漁獵與及各種勞作下所抒洩出的呻吟紀錄，作為一種娛樂性的歌謠之後，詩的形式，便從歌謠的雅化提升到意識的隱喻。歌謠的原始內容，大部分是敘事的，我們流傳的〈擊壤歌〉，是記敘當時的生活方式：「日出而作，日入而息，帝力於我何有哉？」這些描寫自然人不受政治氣壓所干擾的生活情調；有些是抒情的，具體的刻畫甜蜜的戀情，抒洩胸中的抱負，低訴內心的積悃，像「關關雎鳩，在河之洲……」都表達了逍遙快活的情意

活動的境況與意態。

中國的語和文，在社會變遷上脫了節。文字方面，給史家紀錄了原始的口語，一代一代的延續下去，治學的人依然墨守古典的紀錄，於是，讀書人的信念理解，只有學習古人口語才是繼往開來之道。從而使日常生活逐漸和古典語文不能銜接，也因為出現了這樣語文脫節的情況，便得產生一種具有史學知識的人來接合古今的知見，在研習學問上便形成了一派古色古香的隔膜之牆，分開了古典的迷離和現實的淺白，從而令兩種不同意態格格不入。文學紀錄的史事如此，屬於文學範疇內的詩，更使現代人感覺到嚴格的束縛是一種現代意緒的魔障，從而使人意味到傳統的詩，僅是士大夫的一種消閒品，或者是對宮廷的點綴和頌讚，從大眾口語變為另類層次、另類社會的文學環節。

漢唐以後，詩的發展已經很完備，創作對象，由宮廷文藝漸次移向民間，雖然那一時期所形成的格律嚴謹，但由於詩體之趨成熟，詩人運用技巧亦已純任自然而不覺其束縛，擷擇題材，輕易地移向民間的生活面貌層面，踏上了反映現實的道路。全盛期的詩人如杜甫的〈兵車行〉、白居易的〈琵琶行〉便代表了這一個時代的形貌；同一時代的李白，以奔放熱情所產生的抒情詩，又是另一層面的浪漫形式。唐代的開發期所產生的古體、近體、五言七言排律絕句，從體制上說，算是開創了大局面；到了晚唐，長短句的詞曲也出現了，多少說明了詩的發展，正是詩人尋求解除束縛的一種傾向，拘謹於五言、七言，少不得也約制了感情的自然流露。

把目光移向西方，詩歌發展得最早的國家有希臘、英國，

我們可以看到，他們的發展形式與規模，正和我們的發展形式與規模大致相同，是由歌謠逐漸蛻化、提高而進入詩境。

也由於詩境的提高，一如我們的盛唐，逐漸形成了格律。這在詩的情理有了界說，隨而區別了詩人與行吟者的層次。於是，詩的進化由純語言的吟唱轉入了使用文字紀錄作為顯示意境的詩，使這些本已存在的節奏性、音樂性組織、溶化。歐洲最早出現格律的，是莎士比亞 Shakespeare 時代的「十四行」（Sonnet），我們稱它為「商籟體」。這些格律的形成，脫胎於島嶼歌謠三節奏而漸次融匯，這三節奏的原始鋪排，第一節是「樹幹」、第二節是「插語」、第三節是「果實」。它轉化到「商籟體」的過程當然經過了悠長的演化，才對西方的詩人提供了「三音步」節奏的靈感。十四行詩的全節奏，形成了四行，六行，四行的排列，與原始形式的三節奏暗合符節。

「五四」的風暴，徹底摧毀了固有的桎梏，胡適的《嘗試集》首開其端。從一詞一語的考證，一音一節的推敲，一韻一字的雕琢中間解放出來，回到自然的韻律和情感的昇華上面，使口語化的觀念滋長下去。這些日子，新詩的摸索，不斷向前按各自的體會去展步，抒情、敘事、長篇故事詩以至歌劇形式，都從每一詩人的識見背景表達出林林總總形式。我們覺得，新詩在二次大戰戰前戰後的一大段時間，都陷入混沌時期，歐美的形式混和於中國傳統形象之中，有一段時間，留日作家還把日本江戶時代的俳句也一股腦帶進新詩的領域之中。江戶時代的俳句，是由五音七音五音共十七音的格律結構成的定型詩，他們也像中國傳統詩詞那樣遵守著嚴謹格律的約束（這原是日本人脫胎中國詩的格律而創出的東洋格律），但

在內涵的約束較之形式的約束來得重要。第一，句中的描寫與季節有關，第二，在文法上要完整，主張天然之美，才是人生至高至善的境界，從山川田舍間吸取生命的泉源。經這樣的移植，對吸收異域詩式來支持新詩革命的活動，便添加了一支新流派。

我們對「新文學運動」所帶來的新詩的推動，輕易地領會早期的「新詩夢」，其實就是醉心於移植西方的詩模式來代替中國傳統詩模式。當年的新詩模式的「先行者」徐志摩、何其芳那些人，已跨越了胡適的「嘗試集」而帶出了西方形貌的作品來，那當然是基於「排舊」而尋求新的依托；徐志摩太早離開這個世界，我們還看不到他的「演化」到何等程度，何其芳則活到較接近我們的年代，他的「詩式」與「詩見」，卻讓我們看到了他因社會環境的改變而淡化了當年的願望。

到了六、七十年代，推翻了傳統的詩世界，對於沒有傳統淵源，只有域外模式的「新詩」醉心者，便全情投入西詩的意態中去，影響西方深遠的詩格「商籟體」，便很自然成為移介的焦點……

如此這般的「形勢」，促使我們作一個較廣闊、較虛心地去「領會」。這一意念的展開，便是我們對新詩認識的起點。

當找出了認識「起點」的同時，我們不妨回顧一下早期致力新詩運動的人如胡適、徐志摩、汪靜之、朱湘、聞一多、邵洵美、卞之琳等，他們都具備了傳統詩的底子，理解傳統格律及詩律的所在，才去索求新的路向。

二、詩的締結看取向

對於詩的探索，此中人都相信，傳統詩有現成的基本條件和基本約制。大多數人最直覺的是：詩的基本要素必須具備韻律。所謂韻律，便是要作出韻腳，使傳誦的人因韻腳所締結出的律動感來體現詩的特性──原來是具有鏗鏘的美感……

正因為有此直覺的認定，大多數人都把詩的基本條件簡化為具有韻腳的聲律便屬於詩。由於傳統詩的格律是由五言、七言以至後來的長短句所締結的詩詞，那些「韻腳」是承接舊傳統的「聲律」的要求而配製，傳統的聲律，是指傳統詩人所嚴格遵守著「一東、二冬、三江、四支、五微、六魚……」的韻目所統屬單音字而來。到了今時今日，文學革命所帶動的新詩改革，很自然就讓舊日所嚴格遵循的韻目來個「大解放」，把那些不許越韻的禁制枷鎖扭碎，我們檢視過這三四十年的新詩人作詩仍保留聲韻，卻不再去遵守舊日韻律分目，只求聲之所近，便採而納之，經歷了長期的認同，人們也就相信「新詩」還是依「韻」而存在。

由於上述的摒「格」而存「韻」的演變，很可以讓人意識到今天的詩，並不需要嚴格的格律，而仍需要寬鬆聲韻，也由此而令人引申到有抑揚頓挫的急口令卻符合詩的條件，因為它本身存在了主要結構的聲韻，印證於傳統觀念「無韻不成詩」的邏輯所造成的印象，反過來說，「有韻」就自然「成詩」，於是，就產生了這樣的一個例子：

　　尊姓名？王一平

住那裡？寶華正

門牌呢？一零零

幹什麼？賣眼鏡

　　這一例子所產生的疑問，使我們輕易地明白，簡單邏輯未足以解釋詩的構成，說到底，詩是不可以單一具備「有韻」便足夠。可怕的卻是，近十多年間太多詩人自信符合上述簡單邏輯而創造無數近於上述例子的「新詩」，招致了新詩泛濫所出現的義理貧乏的災難，也招致了社會人士對新詩的譏評。

　　隨「五四運動」而產生的文學革命（一九一九年）所帶來的新詩的催生，算來已九十年了，這中間，詩人本身的努力不足，社會人士無法認同，都是新詩難以獲至與傳統詩對等地位的原因。

　　在新詩發展途程中，我個人所接觸的業內人士和業外人士的經驗，都有足夠的例子為新詩感到汗顏的地方，譬如嘲諷新詩的一首「新詩」，就真的嘲諷了某些只重形貌的作品，讀起來就不能不感到悲哀。這首「詩」是：

我把

一句話

分開

許多

許多行

呵

我已經

儼然是

一個

詩人了

面對著這樣的挖苦我們如果虛心地檢討一下，少不得要紅著臉承認，我們的詩人行列中，真的存在著這一類只有形貌而欠缺內涵的作品，這就難怪新詩的地位在排除舊格律的許多年還未確立，並非沒有原因。

上面那首「詩」給我們提供了一些啟示，它的「潛臺詞」正在表達了一些訊息，新詩人為什麼只在形式上「說白」而不在詩質裡提煉「詩語」？

還有，一首更刻薄的「諷詩」，不僅向新詩責難，而且尖刻地謾罵，這首「詩」是：

這邊有皎潔的月

那邊有閃爍的星

對著月和星

你選那一樣

我嗎

我不選這月

我挑那星

驟看起來，這是一首描寫星月之夜的詩；不過，如果你懂得粵語，便該明白最後一句是廣東人的市井粗話，這樣的措辭，自然是對新詩作不敬的責罵。我們倒不必對著這首「詩」生氣，說實話，這首「詩」倒張羅了一些內容，然後借方言來重重一擊。這例子卻又啟示了一點意思，今日的詩人朋友，如

果肯誠意對詩的內涵深思，不難理解我們傳統詩的結構，在「比」和「興」之間的次第維繫，所組成的詩章的嚴謹處，就不是今日新詩不黏不連的那麼簡陋。

如果我們對新詩作冷靜一點的深思，也不難領會一般人對新詩的排拒，其實是基於摒「律」存「韻」所造成。一些有心思的詩人針對此一現象作過「補救」，認為面對如此局面，緊急的行動，便是立即引進新的格律來填補已被革掉的傳統格律，從東邊來的是日本十七音的俳句，從西邊來的是「商籟體」（十四行詩），兩者的滲入，是最不費功夫的方法。三十年代留學歸來的詩人便率先奉行了上述的信念，他們的詩創作，帶來的意識形態十分明顯，不過他們並不著意介紹西方的形格，但在六十年代七十年代的香港本土成長的青年，他們坦率地把「十四行」Sonnet 全盤移植，不像早期留學歸來的詩人那麼含蓄。這一現象如果深層去理解，當可知道早期留學西方的詩人本身早就認識了傳統詩的格律內涵，他們的引進西方詩體，乃是「兼識」，而六七十年代的香港本土成長的詩人的「全盤移植」，是由於這一群受純粹英式教育，對傳統的格律模式根本不去接觸才有這種極端的意念。

這一現象的存在，正好加劇了新詩與傳統詩的對立形勢，傳統詩人對新詩賜予「不知所云」的不屑一顧態度，影響所及，也挑起了詩界以外的人對新詩投以鄙夷的眼光，乃有上述譏諷與謾罵的「新詩」出現。

三、詩的新舊可分辨

我們不容否認，新詩發展到了今天，不同態度的人所採的意向，令我們發現，做破壞工作的人，比做建設工作要多上許多倍。我們也很了解，到了今天，許多熱愛新詩的人都有做建設的熱忱，但這些人所做的，也許成就很微更有些想盡點氣力去作「建設」，卻適得其反，做出來的恰是「破壞」的。正如本文前一節所指的，誤用了邏輯，其中最嚴重的是引申傳統，以有韻而成詩；另一嚴重的則是引申反傳統，以排拒韻律而成詩。這兩個極端威脅了詩的發展既深又遠，推究原因，其實就是致力新詩創作的人，不肯深思，只作膚淺的理解而加以肯定。正因為有此現象，令我們產生新的質疑而觸發了不同的徹悟──

首先應該去探討一下傳統。大多數「泥古」的詩人，理解「情韻」兩字只屬「表層」釋義，他們深入腦袋的是詩必用韻，用了韻就產生「詩情」。而我們的理解，「情韻」並不限於用韻才有「詩情」，因為「情韻」原屬「內蘊」的呈現，有內涵的語言，是從詩語中琢磨出來的，故不限於五個字或七個字來傳達，唐代詩語的發展足以說明「內蘊的呈現」，由固定的字數發展成長短句的琢磨，結構成震盪心弦的「韻致」。這一「韻」字，可並非韻腳的韻，而是內涵的「情」，更明確一點說，人類的情感內層會有一定的紋痕，這些紋痕的輕重徐疾，借詩語來傳達，而在授受之間產生共鳴，這才是我們所確認的「情韻」。俗語有道：「人同此心，心同此理」這是致力於小說創作的人所主張「共同性格」的創造「典型」法則。是屬於人類

共同相信和恪守的。無分中外古今，人類早已存在了一種「本性」，所不同處是有民族的道德標準、社會環境、風俗習慣的尺度長短寬緊的歧異，原是「標」的不同，可不是「本」的不同。在基本上的七情六欲催發出來的波動，浮現於詩，正是心靈的傾瀉。不論古今中外，詩人的創作成例，隨處都能輕易找到，展示古代詩歌詞曲，由《詩經》、漢賦、唐詩、宋詞到元曲，都可領會作品所盛載的，都洋溢著深厚的「情味」——所謂「情味」，並不完全局限於男女之私，而是泛現於自然環境，泛現於人際活動、泛現於生活節奏，這便是人類活心中的「心靈」一面。讓心靈之表達來抒情於詩，正是一般人所說的追逐靈感，來表達於創作，這一深度探索，讓我們找出了最直接的依據，就是從心靈深處所驟現的「感性」，讓它孵育出「詩情」。

就憑這一「孵育」程序，足以說明「詩」之為「詩」，絕不是靠「有韻」而成「詩」，循此窺視，成「詩」的條件，也不靠舊形式（五言七言的古體、樂府、律詩、絕句以至各種詞牌規限）作支持，它之所以能夠成詩，純是從「感情」的孵育才產生「詩情」。服膺傳統詩學的人，他們從感性中孵出了詩情，注入了格律的框架之中，便完整地結構成詩，我們所欣賞的，原是詩的內在「詩情」，而不是欣賞「成詩」的外殼框架（包括五、七言律絕歌行或各種詞牌的架構），即可說明了前面所指的一般人淺薄的外層領會——有韻、符合律絕歌行詞牌規限就等於是「詩」，基此理由，我們相信「成詩」的過程，是深層的觸發、意念的擴散，感性的琢磨，然後在終極的表達。

當我們理解了傳統詩的真義，「詩情」放進了格律的框架便「成詩」而不是隨便塞進一些語言於框架內即是詩，讓我們

看到一點，「詩情」比「框架」重要。

有了上述的認識，我們可以探討一下今日詩人的「孕育詩的過程」。

不容諱言，新詩的催生與成形，固然因「新文化運動」的催發，同時也受到異域「詩態」和「詩語」的觸動，才烘托出新詩人的作品在中外紛陳底下，融合了新意，由此可以整理出一系列與傳統詩情和詩語有所距離的新詩「成詩」的規律——新詩的意念是從「突現」中泛起，它依循於現代人的自我觀念作階梯，提昇、碰觸到「自我主義」的界線。當希臘形式的個體觀念膨脹漫衍於政治思維並且滲透到社會文化內層，就形成了純主觀的觸摸世象的技術性延伸，讓我們看到這種力量所催發的「情感」是跳躍的，由於個體滋生出來的「視象」，無需「傳導」、也無需烘托。這正是一種「躍動」的泛現，正好說明新詩人的詩情產生是在狂熱的激發中一衝而現，也說明了新詩在新世代中依循「人本主義」的政法理念所衍生的「個體」、「獨立」而來。這種「狂熱」性，表現於人對世象、物象的觀察，屬於「純自我」的，更明白一點說，這是一種「浮泛的感覺」，因為我的觀象不同你的觀象，你的也不同於他的，這才是獨立的觀察、獨立的觸摸，這意念擴散於個性的尊重，有了個性的尊重，才有心靈的寄寓；要知道心靈的寄寓體就是「詩」，也就回歸到本文上一節「情味」泛現於自然環境、人際活動、生活節奏種種貯於心靈之上，秩序上是一致的。

但，此中的歧異是可以作出明顯分辨的。如果我們把上一節歸納為「傳統詩情」，那末，我們現在所說的狂熱的激發所得的現象，在新詩的理論演繹下，這種「心靈之聲」的不可以

歸納而「定型」的，也就是說，傳統的「詩情」是有歸納而定型，可以鎔出「共通性」的。

四、詩的意態在內涵

放眼看今日詩的領域，傳統詩人固然迷失了詩的本義，新世代的詩人，也極多摸觸不到詩的本質。在這一層面上，請容許我大膽的放言。不瞞諸位詩人，我的發現，竟然看到了存在於兩極的詩人（兩極是指「傳統」與「現代」格格不入的一些兩不相容的詩人），彼此都相同地擁抱著框架而丟棄內涵，在這兒，且分開兩種形態來檢視——

如果稍為留意一下傳統詩人印發的「唱和訊息」，可以發現那些人骨子裡正舞動寬袍大袖，一搖三擺在哼著他們的五言七言八句律詩，四句絕句，連綿不絕的「歌行」，看題材，他們是「壽某公」、「自壽」，「送別某君之某地」，最寬闊的題材乃是「春日感懷」、「秋日感懷」。看內容，集一千首、一萬首，幾乎同樣說的相似詞語，論起「體例」，他們無懈可擊，彼此都符合平仄，對仗工整，粘合處，絕不含糊。但，當你仔細迴誦，卻發覺似曾相識，千千萬萬首詩篇，竟然就是同一意向，祝壽的單句是那幾個現成的禱辭，自壽的單句，也是那幾個現成的唏噓，春秋感懷，自然是填滿傷春悲秋的詞語。這些傳統詩人，實際抬著一副傳統的框架，根本就沒有依循心靈的激發中展現詩情，甚至這些詩人連《紅樓夢》裡黛玉教香菱作詩那句「立意要緊」的起碼認識也談不上，可知我們存在著數千年「詩教」，在那些自認「傳統詩人」的誤解下蹧蹋了優越的詩義

和詩理。唐以後，近體詩的發展，歷代都有傑出的作品，直到現代，我們有許多具有傳統認識的詩人，包括聞一多、朱湘、徐志摩、卞之琳、李金髮、戴望舒……他們都有傳統詩的底子，懂得詩情義理的激揚，他們致力新詩，其實就是把詩的情意，從律、絕、歌行的框架中挖出來，把框架拋在一旁，結構成一種新的、沒有框架的新詩，讓我們品嚐到濃郁的詩味，這些都是那一群不懂詩情、只抱框架的舊詩人的淺薄相所不懂的所在。這一情況足夠說明了「框架不是詩」，「框架盛載了詩情」才足以言詩，所以，詩情而放在框架內，便是「格律詩」，不放在框架內的詩情，本質還是詩。

再說今日的新詩人，他們在「新」的混沌底下，也有一群人足可與那一群擁抱框架而自我陶醉的傳統「詩人」相對照。由於新詩是「新」出現的事物，熱愛詩的人，以為這一「新體制」，是破除舊枷鎖（即摒棄格律框架），便是：不必拘謹韻律，瞧著別人把文字分行排列，這就是「詩」。於是，大家一齊來，把要說的話一行一行寫出來，一如本文的第二章的引述的例子，以為這就是「詩」。假如新詩真的就這麼輕易成詩，那即是說，新詩的價值未免低得可憐，導致這情況的出現，我們發現「詩途」所受的干擾很大，其間，在早期的左右文學硬意識的壓模所提出的「大眾文學」（左），「國防文學」（右），便注進了詩的領域之內，前者要讓詩成為大眾領會的「急口令」；後者要讓詩符合保家衛國的「傳聲筒」。兩者的本意，同樣是為了自己的政治利益而誤導文學進而誤導詩，兩者其實是在迷亂文學、迷亂詩的意緒，以符合他們的私欲。經他們的「啦啦隊」的哄鬧，也在一些熱愛文學、熱愛新詩，仍在混沌

中的人產生了效應，以為新詩就這麼簡單，只消尖聲嚷出了順口溜，或青筋暴現喊出了整齊的口號，那就是詩了，這是第一個現象——跟隨號角跳舞的一個模式。

在一些較有創發性的年輕文學愛好者，他們感染了時代的「求新」風向，深信「邁向新世紀」的方法，是「推翻舊世紀」。時代潮流所作出的典範，有俄羅斯的十月革命、有中國的辛亥革命，還有更具說服力的「五四」文化運動所帶出的文學革命和新詩的創發，於是領會到「詩」之所以為「新」，就是解除舊枷鎖；舊枷鎖的所在，是傳統的格律框架，這些框架是一整套五言、七言，律、絕、歌、行，只要把口語轉化成不平凡的辭句，不擺進傳統的框架之內，這便是詩了。這一層面的文學愛好者，在時代浪潮激發出一種信念，認定反對傳統、打破傳統，就是「求新」的方法，「新文學」固該如此，「新詩」就更該如此，這是第二個現象——高舉反叛旗號的一個模式。

也有一些文藝青年，看似對文學有了「全盤認識」，在「反舊求新」的浪潮中散發了極端情緒，既然舊的該反，就等於舊的一無是處，由此而衍生出現存的都屬一無是處，那末，怎麼辦呢？他們的答案很快就作出了——我們的都不行，當然非向別人求救不可。由於這一層面的人，大體上讀過一些外文，在課本或課外書籍讀過些西方詩人作品，發覺外國的詩，大異於中國的傳統，乃有「驚為天人」的直覺。見於行動的，便是轉介拜倫、雪萊、但丁、莎士比亞等西方詩人作品作為典範，一個時期，這些熱愛詩的同道，介紹了史詩、劇詩，特別介紹「十四行詩」（商籟體），有意借西方的模式來「補」中國的所「無」，他們的論調是「中國傳統詩有太多的格律羈絆」，可惜

他們也忘記了「商籟體」也屬西方的「格律」。五十年代我寫的那冊《論詩》，指出了這是「詩域」上的「以暴易暴」，既然說中國的格律窒息了詩，為什麼要拉西方的「格律」來替代？難道西方的「格律」就不「窒息」？這是第三個現象——華洋混亂詩域的一個模式。

綜觀上述三種模式，細加思考，可以發現，傳統的失誤、環境的騰挪、華洋的錯向，總屬於自覺的或不自覺的破壞多於建設，第一、第二模式全屬消極的，第三模式稍有幾分積極，其實還是錯向的。

到了今時今日，詩的領域所缺乏的是積極的建設，不要讓她停留在破壞的階段。詩的「建設」，積極的一面是要讓大家認識詩不是一個框架（不論是中國的格律或外國的格律），詩是人類心靈情感的浮現，情感藉文字的表達泛溢「詩情」。這樣的詩情呈現的秩序，是服膺於主題命意、情韻結構之間，顯現於外形束縛的消解，亦意味著內蘊法度的融匯。

當詩的語言抽離於「格律框架」之後，內容所透出的情味能傳達得圓滿渾成，大家就可不必去再三思索如何尋求新的外形來裝點，也不必再三推敲聲律的高低來安排。說到底，新詩不必過份去符合本土的或外來的體制，新詩可供誦、讀，誦讀以外，如「入樂」，自有音樂家去制譜，而新詩的「詩情」，在運用辭語之上，即使是一般人的語言造句，本身便已存在著一種「自然韻律」，新詩承納了要表達的內蘊，同時，承納了語言的自然韻律，詩人的任務也自然地完成了。

從現時的景況看，新詩要急於推廣的，是詩人對義理的領會。

通論篇

秋、月與文學情緒

一、秋月與哀愁

秋天，著實令人依戀，無疑地，一方面是由於秋的蕭殺、蕭索的情緒感受，與及季候的柔和，是結束暴烈的夏日，接觸到冬底凜冽的過渡季節，因而，依戀的情緒，代表一些悲觀的是「紅葉滿階」，「秋林落索」；代表樂觀的是「秋月滿中庭」，「笑邀姮娥酌」。本來任何季節，任何情景，在人類感情上都可以產生愁怨與歡樂，俗語所謂「人逢喜事精神爽」，即是說碰到歡樂的事情，情緒自然振奮，但是有了悲傷的成份，「觸景生情」，難免對景抒懷了。世事往往是哀傷討人同情，悲劇賺人眼淚，反面的事情容易捕捉別人的情感，是以秋情一經文人雅士的渲染，便變成無秋不悲，無月不怨了。

中國文學作品的流傳，幾乎是抒寫羈旅者的情懷的作品為多，而且，也易入後人的腦筋。一部唐詩，屬於寫秋的或者秋月的，幾乎是懷戀、哀傷的字眼，這也難怪後人的情緒要跟前人而轉移了。

說到秋，不免聯想到秋月。秋月本來就應該是歡樂的象徵，看那圓盤似的皎潔底月亮，表現的色彩是和諧的，陪襯著它的晴空，是朗爽的，只為了每一事物的反面底文章易於下筆，反面的情緒易於感染，便遺傳下來憂傷的情調。

二、詩人寫秋思

　　從古詩的抒寫看，屬於「秋情」的，大多數對景懷人，比較惇厚一點的詩人杜甫，在他底秋日的〈遣懷〉裡，第一個就是「愁」字，看那「愁眼看霜露，寒城菊自花，天風隨斷柳，客淚墮清笳……」這兒，可以說明秋天的霜露，本身並沒有愁的成份，而「愁」的所自來，不過是作者本身的主觀而已。杜詩的「露從今夜白，月是故鄉明，」與及「今夜鄜州月，閨中只獨看，」詩人的思想，便把自己的想念，「推己及人的」馳念著「閨人」，還強調了故鄉情思與客館的清冷。李白對秋的情思又有他的境遇與經驗不同的感染，他的〈關山月〉底意境從他的詩裡第一二句便可看到：那「明月出天山，蒼茫雲海間，」胸臆間的丘壑是有相當的深度的，至於結句的「高樓當此夕，嘆息未應閒。」卻是描繪邊戍的淒苦。而個人的秋思，情緒的出發點還是在他自己；韋應物的「坐念綺窗空，翻傷清景好。」「惆悵平生懷，偏來委今夕。」白居易的「棲禽尚不穩，愁人可安眠？」這些詩句，或多或少總表現出他們先是「愁人」，然後才會有此感觸。王建的十五夜望月詩，說得更明白了：「今夜明月人盡望，不知愁思在誰家。」是的，每個人都對秋和月有不同的感覺，因而屬於難以排遣的秋思，就要看對月時的人底情懷而定了。

三、秋月與民間文學

　　照時序，說秋天比其他三個季節要來得特別討人喜愛，為

了秋日的氣候，是介乎熱與冷，夏與冬之間。而秋天與月亮來得特別親切。一個民族的風俗習慣不同，這些風俗習慣，也就根據它底民族文化的演進而形成。因此對於秋或者對於月，世界上任何民族都有它底民間文學的流傳，中外對月的傳說彷彿有著一些默契。墨西哥人說：一個神曾把一個兔子扔到月面上去。敘魯倫人和西藏人的民間故事又有同樣之處，他們以為月亮的盈虧，是因為善兔和惡兔的互相替換。中國的民間文學，對月亮中間的桂樹和兔底傳說是相當有趣的。此外，像唐明皇遊月殿「廣寒宮」；后羿的太太私逃往月宮做了嫦娥；吳剛學仙未成，偶有過失，被罰往月宮伐桂，永遠砍不完的桂樹，把吳剛長期羈絆著。東南亞方面，馬來半島的孟德拉人，流傳著太古時候，人類是會跟月缺而變瘦，月圓而變肥。澳洲東南部的瓦特約巴勒克人深信每逢生物死亡時，月亮說一句「你們復活吧！」那些動物便立即復甦。

民間文學對自然界的窺探，多少是趨向玄與奇的道路，每一個民族之間所產生的神話，卻豐富了這一個民族的文化遺產。因而，對秋、月與文學的關聯性，一如希臘神話對於歐洲文學與及世界文學的影響力相同。

四、揚棄不健康的秋情

中國的文學精神、文士精神，中世紀以來都抱著一種「出世」觀，其間，產生於本國的，來自外國的宗教底影響力是佔重要的關鍵。儒家的思想，由於帝王輩的運用作為家天下的護符之後，文士們底「超」與「清」的獨特個性，凝聚成一種出

塵的想法。思想的出路，本擬寄託於宗教，而宗教的教條往往限制於思維的自由，於是，迸發出來的是一條夾縫的道路，那就是入世觀與出世觀的綜合。各個不同的宗教與學說的綜合，直接間接，養成嗟嘆的情感，因季節的啟發，悲觀的情緒與社會動亂一經接觸，並結合成為一種顯著的「文士氣」，日積月累，由於秋節是民間快樂的象徵底節序，相對的更引起了再濃重一點的悲悼，於是，文學上的秋情就在這種情況下產生。唐宋詩詞上的秋情特別來得厲害。元以後，文學上的改革，除了元曲因襲宋詞而有所變遷，清朝科舉制度而影響文體之外，文學的情緒，始終沒有創造性的發現。「秋情」的沿襲，因好文學的青年日增，這一種情調便伸展入新一代的腦海，一如辛棄疾所說的「少年不識愁滋味，為賦新詞強說愁」一般，大大地領受秋情，闡揚秋情……。

我老早就提出過，揚棄固有的秋是哀愁象徵底觀念，建立新的健康情緒。

美學上的感性

　　讀了《文壇》一三一期散人先生的〈文學上的美感〉，我有點意見覺得有一種不吐不快的感覺，我先得聲明，我並非有意來「抬槓」，我給盧森兄的信亦已於半月前說及，他主張我這番意見交文壇發表，所以，我也就把我近來日子來所研究的心得稍稍地表達一下，還望對美學有研究的先進指正指正。

　　克羅齊（Benedetto Croce, 1866-1952）的《美學原理》在今日「唯物」論者的積極抨擊之下，少數人都人云亦云的落井下石，而一些對美學有研究的人並不很熱心的來談這些問題，朱光潛今日也痛切「坦白」懺悔他介紹克羅齊學說，這是格於環境。唯物的美學觀念是著重「現實主義」的「本位論」，這種美學原則，本身就否定了「美」，因為他們的「美」，並不存在於空間的時間，而是存在於時間的空間——他們的一切都是基於需要，今天需要一個杯，這杯在他們的環境中是美的，到了若干時候，杯的作用消失了，則杯子在他們的環境中是不美的。這一來，美的原理無從找到確定的永恆準則，而美的理論，便永遠談不下去，這是當前美學上的一個歧途。俄國美學家車爾尼舍夫斯基（編者按：即 Nikolay Gavrilovich Chernyshevsky，今通譯車爾尼雪夫斯基，俄國唯物主義哲學家、文學評論家、作家，革命民主主義者。）對美學所提供的論調雖強調了人生的重要——這是維繫於真與善的角度，其間也不免接近了唯心的超本位論，對於今日專業唯物的文藝理論

家列為必須抨擊的工作之一。因此，站在今天來看克羅齊，甚至亞里斯多德、馬蒂斯、畢加索的美學見解，所處的地位都是十分可憐的。

我們研究克羅齊學，對於他的學說「現代性」，是不該斷章取義的，尤其是翻譯過來的作品，對於原文的領略，或者上下文的完全意義是有必要全部理解才能下定論的。今日存在的美學之辯題，是美學的原理——處理美學的手法，人類的進步，人文科學的發達，美學的地位是不能否認地要納入生活的軌跡的，生活的軌跡所產生的又是甚麼原則呢？我們想，人生，人生，絕不是人死，人死，所以，政治家要求人類的腦袋凝結一種人生觀，其實，這種需要不必待政治家的要求而已經存在了，不過，政治的要求，是必要地希望每一個人的想法納入他的範疇而已。人類是不能不有一種他們的為生而生的一種想法的，這種美學觀念，如果服從於唯物的理論原則，稱它做「現實主義」亦無不可，服從於唯心主義的稱它做「現實主義」也行得通，我們所研究的關鍵，就在這裡了。中國古代政治哲學有儒家的入世而治；老子的去世而治，無為與有為之爭，歷數千年，乃有近世的叔本華思想——所謂無政府主義與悲觀主義，推演起來，使我想起了希臘的悲劇精神。在這兒，我懇切希望讀者別接受字義上的直覺觀念，以為無政府主義就是共產或者是「論秤分金」式的「梁山泊」主義；而悲觀主義和悲劇精神就不是香港式的到處寫遺書跳海跳樓的消極厭世觀念。要知道上面所舉的無政府主義與悲劇精神，完全在強調人類善與真的自覺，人類的所謂「道德」，就因為人類有「不道德」之後才有人提及「道德」；無政府主義者所具備的積極意

義是在人性的自覺上面，政府的雛形，本來是產生於部落氏族的家長制度之後，初期的意義，原帶有教育的成分，古所謂「作之君，作之師」，原理與這兒所談的頗為相通，部落制度啟發了野心家的統治欲，「有政府主義」的形式便產生了。無政府主義者的願望本來是極有意義的一種人類自覺運動，一如今日的世界性所倡行的「道德重整」一般，人類基本上的人性獲得了自覺上的為生而生，則爭端減少，不為欲而生，則爭端更減少。素食主義者的因素實不止在於「上天有好生之德」的一點上面，基本精神在於減少欲望，使人達到清淡的自持，宗教的作用，在今日是極權者的敵人，是政權統治死角上的判官，它的作用，也與前述的一樣敷平了踏上人類自覺的道路。至於悲劇精神，它的本質上的積極意義也極濃厚，它促使人類面對悲劇來完成人生的途程，甚至與其悲劇必然光臨人生的念頭，則拼其犧牲自己來減少多數人的悲劇現象，它的積極意義，也遠勝於儒家的「獨善其身」。這形形色色的人生問題，便是我們今日面臨著的美學問題的因子，所以，克羅齊的審美四階段的：諸印象；表現，即心靈底審美綜合作用；快感的陪伴，即美的快感或審美的快感；由審美的事實到物質現象的翻譯……那首要點是在第二階段，對於美學的原理，在今天我們還得感謝克羅齊所提出的原則。在文學上，我們似乎也無必要強辯是和一般的生活有甚麼不同的，我一向的見解，都以為美學是心靈的產物，對於唯物的現實主義或唯心的現實主義，我都覺得這是一種「有所為而為」的行為，而世界上的美，不止文學上的表現，在思想上是一樣，在自然界也是一樣。但凡適應於人生的，它的存在都是永恆的，而在生的印象是直覺的，所以，

我們的觀念始終是不喜歡辯證的，尤其是「本位主義」的辯證，都是很不必要的胡鬧。一花一木的美感，它的存在是永恆的，「煙籠寒水月籠沙」，它是存在的，也是永恆的，喬治‧梅列狄斯（編者按：即 George Meredith，今通譯喬治‧梅瑞狄斯，英國維多利亞時代詩人，小說家。）的名句：

> 在一顆大星照著的昏黃裡小心地
> 飛掠著的白梟的曲線美是可愛的
> 在寂寞的樅樹枝頭，他那無變化的咻咻調子
> 思量著陰鬱的事情，編造著蒼黃的夜話

　　這是表現的，是直覺的，是自然主義的崇高美。自然主義底真正意義是永恆的存在，它不是因人因地因時或因需要而存在，更具體而貼切人生的，它是心靈直覺的呈現。所以，對於克羅齊的美學原理的四階段有所懷疑而作斷章取義的解釋十分不必要，對於散人先生所述的美感產生於意識，這是一種可怕的誤解，不察的人也許同意這一說法，今日的美學家像法國的巴哈教授（現在生存的美學家）都同意羅斯金的思維路線，「那一種必須找尋的，」這是一種實質的，存在的，假如說先有意識，那便是先有成見，這些美的選擇，便完全納入了唯物的現實主義的窠臼，我並不反對別人以唯物觀念來處事，我所反對的則是美學不能以唯物觀點來剖解，一提到唯物，我以為就沒有美，這是車爾尼舍夫斯基（俄國沙皇時代的被目為反動的，列寧喻為最富革命性的文藝理論家）也不能勉強解釋來適應他的唯物觀點的地方。

　　文藝理論的發表，如果重複前人的意見，是很不必要的，

對某一個突出問題的討論，浮淺地輕輕掠過，造成讀者的驚疑惶惑也是很不必要的。因而，我不同意散人先生抽幾句古人的詩詞來對克羅齊的美學四階段作這樣的解釋，原諒我的放肆，我發覺散人先生有所疏忽這美學四階段的本義，同時，我又懷疑散人先生也許看過了克羅齊美學原理的全文而忘記了前面的幾章，值得詳細尋味而探求關於審美四階段的原書，第一章「直覺與表現」，便包括了「直覺底知識——直覺底知識離理智底知識而獨立——直覺與知覺——直覺與時間空間概念——直覺與感受——直覺與聯想——直覺與現形——直覺與表現——分別直覺與表現的詭見——直覺與表現的同一」原書第二章「直覺與藝術」，包括了「附帶底結論和說明——藝術與直覺底知識的同一——它們沒有種類上的分別——它們沒有強度上底分別——它們的分別是寬度上底和經驗底——藝術底天才——美學裡內容與形式——藝術模仿自然說與藝術底幻覺說的批評——認定藝術為感覺底（非知解底）事實一說的批評——審美底形相和感覺——評審美底感官說——藝術作品的整一性與不可分性——藝術為解放者」如果把這兩章充分的理解一下，當無法產生對克羅齊所述的審美四階段有太多標奇立異的道理。

基本上，這四階段的意義並不在每一階段的先後，而這四階段的解釋，是銜接「自然與藝術中底物質美」，這是審美學中的一個小環節。克羅齊在這幾句話之前已說明了「活動性相」與「心靈性相」的所在，散人先生引用克羅齊的話，他忘記了下面還有一句「這恰是僅為自然科學意義底表現所缺乏底」。以強調自然與藝術中底「物質美」的審美四階段，被完全引用

到文學上來作為美感的解釋，這是很不完全的，同時，研究文學上的美感僅是提出幾句前人的詩詞，又是很不完全的。美學在今天發生了問題，少不了要把目光再度移回「唯心的現實主義」與「唯物的現實主義」的歧途之上。

車爾尼舍夫斯基的話特別值得我們所重視：

> 用最適合自己的看法去看一切事物，或使一切事物吻合於我們那常常偏頗的意願。這樣地投合觀念的例證很多，我們舉一個例罷：很多人要求諷刺的作品包含「可以傾心相愛」的人物，這原是一種極其自然的慾望；然而現實卻呈現出相反的景象，有多少事變並無一個肯定的人物參與在內。藝術幾乎總是順從這個要求，至少在俄國文學裡面，不這樣做的作家，除了果戈里，我們再不知道有誰了。

未具備唯物觀念車爾尼舍夫斯基的理論，在在都流出對人類的願望與要求的一致底徘徊，他歌頌了果戈里，事實上他想把他的理論納入他自己的預定軌跡，唯物的現實主義早就徬徨於自然主義與現實主義之間。車爾尼舍夫斯基又說：

> 再一個例：人是傾向於傷感的，這種傾向並不為生活和自然所共有。但是藝術作品幾乎普遍地或多或少地投合著這種傾向。上述的兩種要求都是由於人類的局限性，實際生活和自然是超出了這些局限性之上的。藝術作品一方面服從於這種局限性，因而降落到現實以下，而且常常變得陳腐與平凡。另一方面卻更接近了人類的

共同需求，因而博得了人的青睞……問題是在人為地發達了的人有許多人生的需要，蹩扭到虛偽狂妄的地步的需要。這種需要不能完全滿足，因為他們根本不是自然的需要，而是一種蹩扭的想像的夢想。

這是一種有所為而為的役使藝術品的先聲，所以，迫使他們的美學觀念遠離自然，而現實所存在的感傷性，當在某種時間下的空間，他們是樂於運用的。但是到了另一種時間的空間，他們便又不願意像過去一樣照既運用過的原則去運用了。這一美學觀念與唯心的現實主義的對比，也發覺有可資嘆息的地方，唯心論者常以為感情的渲染是現實的最高操縱，他們不會放棄既有的現象，他們更會創造類似既有的現象，來達成他們的有所為的準繩。有時，他們會違背於生的追求與生的歌頌，這些也是他們的偏頗。

美學與文學今天所糾纏的問題，主要的還是需要闡揚文學上的感性與美學上的感性的問題，美感是感性的選擇，自然是在客觀先有表現，然後有所謂意識形態的審度，然後產生美感。大多數人都相信蛇是有毒的，咬人一口便會致命的，所以，凡是見蛇都有咬死人的感覺，這是先有「意識」的例子。但是造成了固定的成見，使鑑賞事物或審美都不足以達至最高的感性作用，原因是有一些蛇並不咬人或致死的，那末，這既定的意識便不應潛奪了感性的位置。它的必要還是先讓印象有聖潔的感性然後才及於理性。美學在這一方面，實在不能讓偏見多所滋生的。

文學的季節感

　　文學作品和非文學作品，它的意義是明顯的，我們常常指出某些文字是記賬式的，某些文字全沒有情感或某些文字全不動人，這裡，我們可以分明指出這些是：非文學、不文學或不夠文學水準的作品。從這兒，我們可以體會到文學作品的「動人」底必要，是衡量作品的主要標尺。然則，我們不妨進一步說，怎樣才能「動人」？或者說，怎樣才有「情感」？如果坦率地歸納成一句話，那末，這答案應該是「掌握氣氛」。掌握氣氛，是使作品加強著要表現的故事和糾紛的色彩，氣氛之在文學作品，幾乎可以說是繪畫中的色。比如說，「晴日海霞紅靄靄」，如果這是一幅畫，它的著色點放重在晴日、海霞的實際環境的摹擬。晴日，自然是萬里無雲，海霞的形狀，是耀眼的波光作燦爛的閃動。愈是把顏色加強「晴日」的太陽熏蒸底熾烈，則它的情調藝術一定十分逼肖。這是掌握氣氛的效果。

　　助長情調、鼓動情調，不是文字的美麗所能完成的任務，因為情感是統屬於人類的心靈，要激動它，必須有實體的支持。所謂實體，就是指一種視覺的、嗅覺的、觸覺的東西泛現在字裡行間，這些，是激動情感的基本來源，但是，並不能說有了上述的東西陳列在眼前就能激動情感。這裡，有必要要求於文人筆下的表現方式和表現角度。於是，我們可以具體的說：氣氛的表現，是來自實體的表現角度來配合故事情節，以加強各種不同的氣韻。最具代表性的實體，如樹木、花草、蜂

蝶、飛鳥、魚蟲、浮雲、風雨，不論描繪心境的喜樂哀愁，都以這些自然現象與動植飛潛為主要的配件，以烘托出每種情緒的特殊感覺。

文學上的氣韻情調，透過這些外在的影響，很完整地烘托出心理的感受，從這種波動去掀開情感的盒子，不止可以為表演任何場面的氣氛，同時亦可左右任何故事或人物的變化，調節趣味的單純。事物的變化，有時間上的不同，氣氛的歸納，也就因此有著殊異，這種殊異，就是文學上所存在的「季節感」。季節感在文學作品中間所顯現的，自有文學上的問題以來，差不多它是觸發作品的主導力量；接踵而來的，它又是加濃作品的調劑力量；更機巧一點，它卻是緊盯著作品中心的迴旋力和槓桿作用。

文學，是語言和文字的花朵，而產生花朵的自然力量，就是季節變化的氣溫所使然。自然科學和文學在基本的理則上是相同的，語言和文字的花朵蓓蕾、綻放、燦爛，所觸發與季節感的至多，形式上顯現於詩和散文的，推溯它的主導力量，可以說是百分之一百從「季節感」的渲染感受下而觸動表現的契機，或是直接呈現出題材。然後，從觸動的一瞬觀念裡擷拾和整理，而組織成短促觀念所凝成的詩章或散文。這一瞬泛現的短促觀念，即是氣氛之所繫，文學作品每每因氣氛的牽動而使作家的筆端循一定的方位走。有力量締造氣氛的作家，所描繪的動底場面會更動，靜的場面會更靜。原則上的企圖都難免從「季節感」底下出發，透過這種精神力量，創造作品的氣魄。

現實主義者底質樸思維，常把作品主題看做一種目的，浪漫主義者把主題放在故事的律動之上，諸如「古典」形式、「自

然」形式，甚至像那些「民族」形式、「戰鬥」形式。它們的活動底意義，總離不開「真」的採訪、「真」的摹擬、「真」的暴露、「真」的徘徊或「真」的羅列。作家所採的態度儘管不同，而求真的精神是一致的。作品的組成，本來是時間和空間的人事向協調或背協調的進行，在此一情狀之下，可分為兩種的表現方式，一種是裸露的真，包括了逼肖人生、批判人生、呈現人生；一種是朦朧的真，包括了美化的人生、過濾的人生、渴望的人生。「季節感」所納入於這兩條軌跡，它所滿足於作品的要求的，是效果的加速、主題的突出、趣味的增長。作品的時間背景的明確，空間背景的明確，是今日文藝創作的共同願望底期待，「季節感」就是時間的縱線，空間的背景也得服從於時間的可能性。季節感是編織這些空間所呈現的題材於時間狀態之下，以達到表達的目的。

　　季節所聯繫到的動物和植物，對於表達作品的氣氛是十分重要的，我們所強調的節令典型，通常是十分抽象而富於美感。在文學作品中所發現季節與動植物聯繫的謹作典型性的舉例如下：

季節名稱	動物	植物
春季	燕、蝶、鶯、蜂	牡丹、鳳仙、夾竹桃
夏季	蟬、蛙、螢	玉蘭、百合、白蟾
秋季	雁、蟀、鷺	菊、柳、蘆花
冬季	鶴、梟	松、竹、梅

上列的花樹和鳥雀，並不是說具備了這兒所列出的即可以很輕易地表達出季節的特性，這裡所列舉的，是一般對季節所舉出的典型底代表而已。有許多動植物飛潛，是有著地區性的不同，比如說，在南中國的蝶、蜂、鶯、燕，入夏以後仍然很多出現，春前冬末，便已很早活躍了，這是地區的殊異，而我們在作品中所引用的，都依循著一般的習慣，這是對呢還是不對？這兒不打算多所論列。同樣的例子，在北國也有混淆的地方，因此，我們所舉的例子只能說是作為研究的參考，而不是「放之四海而皆準」的「寫作典範」。也許有人會追問，既然不能「放之四海而皆準」，為什麼卻能成為典型性的季節感受？怎樣才能使季節感成功地表現出來？是的，這疑問往往是一般寫作很有成就的作家所易於忽略的，不曾細意地去尋求答案的問題。我們試就習慣上的現象分別研究吧！一向的文藝作品（不談古典文學的原因，是因為舊式文人都有著一套傷春悲秋的濫調，所有的感情都納入感傷的窠臼），差不多把四季劃成了四種情緒，春代表歡樂；夏代表熱情；秋代表哀愁；冬代表淒慘。由於這四種季節情感的勾劃成了習慣上的情緒典型，因而，在作品中寫愉快歡樂的場面難免完全以春作為時間的背景；寫哀愁的以秋天作為時間的背景，這樣推衍，作品的情感成了公式化，而作品的成就，也就難以突破這一道季節感的圍牆，這是偏執的一面；有些作品接受了過度敏感的特性底渲染，把內容偏重於一個季節的特點上面，同樣的把情感也集中在一個季節的特性上。這種情況，是一些誤解「苦悶的象徵」者所走出來的歧途，這現象見諸於一般文學作品的「秋

情」──是四季情緒最突出的一環，也是時下男女青年所渲染的一種個人陶醉的灰色情感。這又是偏執的一面。

其實，文學情調所維繫於季節感的地方至巨，季節感如果能擺脫因襲的固定形態，它的發展和運用是很寬廣的，季節感如能擺脫傷春悲秋的特殊敏感底濫調，它的馳騁，將不會成為一般人所感覺的「情感的牛角尖」。季節感所沾染到的，以詩和散文的因緣最為密切。詩是什麼？散文是什麼？兩個疑問的答案可以說是絕對的關聯到情感，詩是語言的花朵，是智慧的脈絡，散文是感覺的紋痕，它們是情感的浪濤所掀動的記錄。因此，情感在這兩者中間所交織著的不會泛現著單純的哀思，有的是廣泛的情緒，它包括了人類本能具備的喜、樂、哀、愁。假如情感所發展是膨脹其中的一個單元，則人類的情緒必然在其他減削，那末，人類的精神不平衡就在這兒產生。我們致力文學藝術的人，對於季節感的運用，必須拉近情緒的平衡狀態，就是這個道理。

探求出上述的原理，那末，我們如何處理季節感的問題？季節與動、植物的關聯性也勾劃出了一個輪廓，季節的特性同樣表現出了情緒的印象，然則，引用季節以表達情緒是不是可以根據這固定的公式去套用呢？我們相信這句話並不是答案的全部，因為人性的善惡；情緒的好壞，季節的影響是沒有決定性作用的。主要的還是在人們自己的感性所泛現的現象，接觸到自然界的季節特徵而增添人們自己早已泛現的情緒而擴大其因素，所以，我們相信是人性的摹擬，它的出發點是「人本主義」的產品。

內容是什麼？

踏入了寫作的成熟期，形式的（外在的敷排、體裁、程序）便落入第二個地位，第一個地位卻是內容。

內容，在小説、散文、詩歌中間，卻是含蘊著一些人物的活動，這些活動是表現於構成一個社會生活的問題，在雜文、論文中間，則是由於一件事情的需要解釋、批評或有所發明而加以紀錄。雖然，內容兩字這麼解釋未免流於簡陋，但是，這樣分析，已經算是很握要地表達到它的重點之上了。不過，這還是表面的現象。內容的意義，深一層看，它是包括了一種指導人物行為的最高準繩的決策──這種解釋，非常抽象。舉個例説：一篇小説，其中有人物在活動，但是這個人物活動著的，是毫無意義，毫無表現必要的，而另一篇小説，中間的人物底活動，是解釋了人類社會所存在的一種問題的，它的活動才有意義，用文學形式來表現它才有必要。因此，我們可以進一步來説，能夠達成表達主題的人物活動，才是真正的內容。從這兒，又可以領略到批判性的存在，並不限於雜文和論文的中間；它還存在於小説、散文、詩歌的中間。綜合起來説，能夠表達主題的──帶有批判性──人、事、時、地在不停止的活動，便是內容。

在今天，寫作的朋友每每在內容上引起了一些爭執，大多數寫作的人總以為自己正依循著其一種「主義」的道路，而對另一種「主義」表示它應否存在的懷疑，雖然這種態度可以

推動文壇的水準提高，而毛病卻在令後學的的人，有點眼花撩亂。這些異同，並不是技術的差異，而是內容的差異，由於內容的聯繫，便很容易的令人先想起為什麼而寫；才推衍到寫些什麼。

為什麼而寫？

人們都有一種平易的想法，那就是為人類而寫，斷不可能是為獸類而寫──在大前提之下也有著差異，有些作家不會考慮（不願考慮）對人所影響的效果；有些則抱著純粹「衛道」的心情。歸納起來，便造成兩個頗為明顯的分野：構成了一種有什麼寫什麼的，和需要什麼寫什麼的觀念。

兩種觀念一經構成了寫作的原則，寫作的內容便隨著產生了。前者，常指導著自然的、唯美概念的去裝飾作品，因為它不必考慮人類為這些作品而產生的情緒（當然，這些作品也有許多很好的，很能達成了指導讀者作用的功能），它只求生產新鮮的故事內容。生產新鮮的作品底情緒是狂放的。這些作品的內容，也許可以說是具有足夠的「反映人類社會現狀的行為」，而存在的惡毒底渲染；存在的衰頹底讚頌；存在的荒唐底重現，在在都容易造成惡果，容易損毀現狀，它的毛病在缺少對現狀的鍼砭性。後者，常指導著現實的、社會的概念去鞏固作品的基調，因為它經常在考慮作品放在人類社會中所引起的波瀾，注視這波瀾對人類的現實社會的影響力，所以，在這種基調下所產生的作品，是通過了人、事、時、地去為某一種目的而演述故事。它的長處是能夠具有批判的、改造的力量，而這種方式的文學內容，也經常被利用為政黨的黨性文學，而遠離了社會的人性之學。

物理人情，相對的能量會產生制衡的、牽引的力量，絕對的只是把對象孤立起來罷了。文學創作的原則，也具此一原理，上述兩種指導情緒的原則，必須建在人性文學的基調上，它對峙的地位才會融和起來。在這裡，我們可以探求出處理內容的真理了。

我們目前所處的環境，所處的世代，到底有什麼內容可以納入文學的軌道呢？就以海外的情況來說，人們生活在畸型的社會──寄托於外國人統治的社會──生活於商業氣氛的環境，而我們每為生活的方式、文化的傳統而顧慮，這緩衝的地帶（它包括了東西方生活方式、政治方式、民族性格等衝突與融匯）所引起的煩惱，便是足以徵引的事件，故事的內容，便可以環繞在這一個世界的核心來創造人物，創造人物的活動與及活動的方向了。

人物的活動，在文學的表現下有許多不同的形式，大凡一個民族所包含的共通概念有了實際上的衝突；一個家庭、一個社會，在常軌的活動中有了歧異的騷亂，才能導引人物活動的自如運用，所以古今中外的文學作品中，馳名的都包括了遠戍、思婦、怨女、英雄、懦夫。由於時勢的使然，社會制度的使然，人為力量的使然，產生了故事的內容，文學家便利用這些現狀，利用這些人物，合理的對某種行為鼓勵，對某種力量加以反抗，對某種制度加以指責。由於作家的敏銳底思想構成的結論，藉著人物故事的串演而發生了鼓勵性的、反抗性的、指責性的作用，這些作用所表現的態度，是內容，是內容的高一層底解釋。

由於這一個原因，文藝批評家所指出的：作品有沒有內

容，並不是在討論它有沒有人物和故事交織成糾紛，有沒有人物故事的活動，而是去觀察這些人物和這些故事的配置能否構成批判的狀態，達成批判的目的，才能作為內容好壞的準繩。

談客觀

方今，人們最排斥主觀，在學習的態度、處世的原則、政治的見解，大家都爭相表示：我最客觀。

其實，主觀和客觀之為用，並不能照一般的意念去解釋的。在某些場合，主觀的情緒必須發揚，在另一不同情況裡，則必須具備著客觀的態度。人類對於這麼一種勞什子的知識有這麼多的糾葛，自然難怪要有些聖人賢人出來把這些問題一一分清哩！

把主觀和客觀分清真是戛戛乎其難。世界上接觸真理的人正如瞎子摸象，摸到象鼻子的人，他們會說：「象原是一條長長的東西。」摸到象肚子的人卻說：「象原是一個胖團團的東西」……角度的不同，他們少不免說：「我是親手接觸到的，哪裡會假？」這是接觸到不周全的人的一種認識。

有些是先入為主的，先聽到一些傳說，便會認為第一個消息或者第一個印象便是真理。單以一部《三國演義》來說，先看了它，誰都會說：孔明足智多謀，關羽忠義勇猛，曹操奸險狠毒……一經深深的注入了這一份先入為主的見解，看到正史所說諸葛孔明並非一個神般的人，關羽也不一定像小說那麼忠義，曹操也不見得是奸險等等，反而不相信正史而只相信《三國演義》了。俗語所說的「一廂情願」，多少符合了這一原則。

有些人主觀得可愛，有些人主觀得可恨。前者是天真的願望，單純而盲目；後者是頑固的執拗，明知而故犯。天真未

鑿的孩子，對媽媽是盲目依附的，因為媽媽由小孩子把他哄大抱大，習慣相循。到了懂得一點點人事，便覺得媽媽處處維護他，他少不得依偎著媽媽，有些更「唯物」一點的，因為媽媽用奶來哺育他，所以他依偎著媽媽；同樣，因為媽媽有奶，所以有奶便是媽媽。雖然，這一類幼稚處在所難免，但是，這種主觀的迷戀者，主觀得頗為可愛。另外一些人則固執於一些死法條、死主義的上面，縱使某種考驗證明了某種想法是失敗了的，而他卻依然死抱著固舊的成見，認為他們的失敗，是因人為陷害，或時不我與，倒不覺得是他們本身會有一些什麼問題。

即是之故，人們大言炎炎說：待人處世，我最客觀。這句話便「其來有自」了。其實，主觀和客觀，只在一念之間而已。做人，有所為而為，向一個功利的目的前進，其間的諸多障礙，往往構成了一種情緒的刺激，這些刺激，在不同的情況下顯現出自卑的妒忌，或懷恨的敵視，主觀觀念便馬上形成。這因素一存在，看世界上的萬事萬物，便有著他們各自不同的色彩。大凡看事物，看問題，一有色彩，客觀的態度就不翼而飛了。

業務觀點往往使人失卻客觀的存在，因為「賣花讚花香」、「賣瓜讚瓜甜」，這是功利社會早已存在的本質。任何信仰都可以使人失卻客觀的存在。主義或者宗教對黨員或教徒的苛待，是要他們浸淫於領袖和神的權威領域，這也是功利社會所早已存在著的本質。此外，還有倫理概念與情感的依戀等等，構成了客觀的難題。

要培養一種良善的理念去作為一種符合社會發展的繁複狀

態的要求，在今天是頗為必要的。社會學家認為，人的社會是十分擠迫的，有一個比喻相當有趣，本來，人是有一種虛偽的屏障——

一種紳士教育使人類在擠迫中誤觸對方時，便脫帽欠身說：「對不起！」這其中，包括了三項情意，其一、我侵害了你，若不溫婉一下，恐怕你有報復意念存在，那時⋯⋯糟！其二、我侵害了你，原是因為你推我擁，出於不得已，最好你不要擠得我太近，要不，道歉的應該是你。其三、我侵害了你，我衷心很歉疚，呵！假如實在歉疚，歉疚的情緒一定激動或震顫，否則，這是虛偽。這便是人在行為上的屏障。

看蜜蜂，牠們在一個擠得密密麻麻的巢裡生活，少不得你擠我擁，但是，牠們平安而和洽，牠們對貢獻，是毫不計較的，對索取，同樣是不去苛求。牠們身上都懷有一枚毒刺，可是，牠們只是防禦外來侵犯的異類，在他們的社會裡，是那麼和洽相安的。這比喻，說明了人和某些動物的分野——人，往往積極培養一種非自然的情感規範，以造成激烈的形式，人類縱使沒有像蜜蜂的毒刺，人類之不易相安，便因觀念所造成的強烈距離而各有所隔，遠不如各懷毒刺的蜜蜂的各無所隔了。

有人以為，發揚個性，正是發揚主觀，今日的教育趨向，正走著這麼一條途徑，這樣發展，豈不是把人類都導入了一個固執的中心？這一疑問，也許是發問的人了解錯了發揚個性的意義。人類本來就具有一種坦率的天性，矯枉過正的規範教育把這些天性都壓制到情感的「零度」之下，造成了一種道德即虛偽的現象。今日在藝術教育中，正試圖由一種自由發揮來恢復人性的本質，這中間，並不是要培養人類的主觀，恰恰相

反的，卻是回復人類的客觀，比如說，人類的一種倫理執拗，以「長上之言」為真理，這是道德教育所造成的主觀，如果恢復了人類的天性，人類須把真理的判別放在前頭，不受道德律的約束而從事實質的追求，這才是一種絕佳的客觀情緒。而倫理的尊重，卻不應該和真理有所抵觸，這是疏通客觀和主觀衝突的一種路向。發揚個性並非培養倔強，而是培養辨別的能力——也就是客觀的情緒。

客觀，是忘我的！它標誌著放棄一切既有的成見，胸無掛礙地重頭認識屬於群性無所隔、個性無偏執的基本態度，推倒一切規範教條，把約束於錯誤、孤獨、愚昧的樊籠之下的傳統都一一揚棄，率性地去認識人生、了解事物。規範教育對於人類心靈的窒息，所表現的地方相當殘酷。我們今天要是再受惑於某種雄辯，則人類心靈解放，仍在可悲的場境之中。

客觀，是全面的瞭解，忠誠的判辨。

香港人的型格

　　一天，跟一位唸佛的朋友上館子，吃的自然是齋菜。堂倌送來菜牌子，一看，只見端端正正地排列著的菜單，排在最前的「名貴菜式」是：齋鮑魚、齋燒鵝、齋龍鳳大會、齋雞絲翅、齋鵝肝、齋鴨腎⋯⋯細細看來，無一不是帶著葷意態。點菜的當兒，心裡就掀起了一種可笑的感覺。我把菜牌推給那位唸佛的朋友，表示我不懂齋菜，目的是看他點的是什麼菜式。

　　結果呢，這位朋友點了菜，端到桌上，乃是齋鮑魚、齋雞絲翅、齋鵝腸、齋黃魚湯。我在想：菜牌後面也清清楚楚列出了許多沒有「雞」、「鵝」、「鮑魚」那類「葷」名的菜式，何以專選了這幾樣「全葷」的「齋」呢？顯然是內心並未摒除「葷」意。在這樣的「意念引申」底下，作為一個佛教徒，明裡在吃齋，內心深處，對葷菜未能忘情。

　　從五十年代踏進這個孤島，接觸到各種各樣的人物，在思維觀念上，很自然凝聚出一個普通的典型，這種典型的表現，正好泛現在齋菜館所接觸到的「吃齋人」心裡面。這一「心理典型」，說明了行為現象與內心潛在的概念存在「一底一面」的「背馳」意態。

　　大家都明白，從「吃齋人」的心理來說，除了存在著的「宗教意識」，還有一種宗教以外的「善行約制」。這中間，具有一種「不殺生」的意識，在新觀念下，這是對生物的尊重；在舊觀念下，這是為行善而積德。儘管這些意識盤旋於上

述「型格概念」之中，但在廣泛的潛意識裡，所有的「尊重生物」，「行善積德」以至「宗教信仰」，都被排斥於概念以外。齋菜館的菜牌，鮮明地揭開了吃齋人的內心世界——吃齋人的現實行為與潛意識是相反的。這一現象，恰好提供了一種性格意識來探索此時此地都市人的本質。

「香港人」這個名詞，在某種角度上，被認定是一種「歹角」的謔稱。長期在殖民地生活，緊貼著洋場活動的「眾生」，由於這一類型人物的影響，具有鑽營觀念，習染「西崽」性格，處事畏首畏尾，心存自保的「小民」心態。這一集社會底層生態的角色，構成了早期依靠殖民地社會討生活的可笑亦可悲的型格。

戰後的人流衝擊了歹角型格的「香港人」，再加上國內政局變化，南流大量不同觀念的內陸人的融入，催化了「香港人」型格，大大地改變了香港人的形貌和意識。但大體上的潛在意識，給客觀淘汰後所留下來的基調，融匯了南流群體所帶來的基本意態，就膠合成一個大概念，這就是香港人所存在的早期恐懼政治，閃避政治，和後期的推拒政治，隔離政治的明朗心理，然後結納了經濟理念和生存哲學，經過時間的過濾，產生了一種「超出三界外，不在五行中」的自我基調；在心理上，又渴望某些政治形式，當某些政治形式接近時，覺察到客觀的妒雨酸風，又浮現了深潛的患得患失意態，那種游移徬徨而強自安詳的形貌，使一些不瞭解香港文化變遷所促成的實在境界的島外研究者，無法捉摸生活在這一矗立亞洲，具有獨特性格的「人」，接觸不到更確切更形象的定義。

香港從漁村的「蠻荒孤島」，一步一步出現洋船而進入「殖

民時代」，每一階段，都在醞釀著性格變遷的因子，特別顯著的是，從戰後環境所催生的「香港群體」的締結，到大陸新政權建立以後，大批內地人南移，「香港人」的基調，便隨「外來特性」所融匯而形成新的質感。當香港人達至六百萬這一數字以後，「特殊區域」醞成「特殊經濟」面貌，所產生的經濟價值觀配上了強烈迫人而來的政治價值觀，新的「香港人」特質，就在這樣的環境下成型。集合在這一環境下的群體，遂有了掙扎，依賴的抉擇。九七回歸前，排在眼前的是殖民政經的排拒或依賴，這一現象，是背海的掙扎或面海的依賴；九七回歸後，是未知數的政治氣壓所醞釀的風浪的排拒或依賴，這一現象是主動的掙扎或被動的依賴。於是，作為一個不屬於政治體系的「香港人」，就融合了早已長期島居以及新近逃來的內地避居者的「性格」，「香港人」的型格也就由多樣的模糊而漸見明朗。

在「時代過渡」的序列底下，殖民地主人帶來的擔子壓在肩上，人們對產生信譽負累感到沮喪。戰後，人口的遞增與環境的匯合喚起了新的感受。戰後的「大國殖民形勢」隨時代的變遷而起了變化，若干殖民地人民在大不列顛皇冠上摘下了一顆顆珠子，在「浪花淘盡了英雄」的時勢下，戰敗的德國固然沒有資格保存殖民地，算是戰勝國的法蘭西，也知情識趣，及時放棄了殖民地，其他歐洲小國更無論矣。於是，印度，塞浦路斯，星馬，北婆羅洲的統治權都翻過身來。而香港這顆珠子，卻牢牢地鑲嵌在「皇冠」上，散發著耀眼的光芒。此中原因，一方面是歷史寫下的錯誤，另一方面卻是政治環境造成的形勢，促使了香港從數十萬人口躍進為數百萬人口的城市，隨

之而產生了龐大的消費力，更進一步產生了龐大的人口動力來
推動外向的地緣經濟，就這樣，締結了有別於百年前的蠻荒期
性格，更進一步跨過了梯級跳板期性格，而產生了新型性格。

再談香港人的型格

　　香港，旁觀了中國變局數十年，在形成了今天特有性格之前，她的淵源，早已孕育在中國一再出現大變局之中。中國最大變局，較早是辛亥革命結束帝制，此後，軍閥混戰的局面，成王敗寇現象促成了殖民地、租界的特殊性。當中國腹地租界存在的時段，軍閥利用它成為失敗後的安身地的例子一天天在增加，所有的租界、殖民地便一點一滴積累起地緣的優勢，直到二次大戰以後，中國租界一掃而空，碩果僅存的，只有中國南部邊沿的港澳，而香港卻一股腦兒把所有的租界優勢承受下來。使這一古老的殖民地意念較前更深，更濃，同時，也促使殖民統治技術更綜合，更集中，香港的性格，也因此大轉變而更加典型起來。

　　綜合了所有殖民地特質的香港，擁有殖民地餘緒在鵝步式政治智慧之下，自然也綜合了殖民統治的經驗。這些經驗流瀉下來，正是促成香港性格的主要導因。回望許多殖民地擺脫了海權擴張時期的形式，其主觀客觀的因素都與香港有異，就足以替我們的立論作證。遠的從印度、巴基斯坦到印尼，較近的如塞浦路斯、馬來西亞，哪一地不是由民族意識的高漲而獨立或自治？其中，馬來西亞的民族性格並不太強，也在致力於「馬化」的意識，集中心力來締結一個華、巫、印結合體的「新馬來」意識，以作為屹立於國際社會的心理基礎。而香港，這些意識被轉移了，沖淡了，或者被時勢所壓縮，被外力所堵

截，這種情況表明了殖民地統治的經驗所吸取的教訓，及時掌握了散佈在邊緣所企劃的動力，以遮擋、消弭的方式，引領著環境走向怔忡的精神領域，香港的性格，便在高明導演手法底下給塑造成型了。

基於上述的淵源，使我們在香港人的意識裡，找不出一些民族意識、氣息。我們所熟悉的大馬來西亞，儘管他們如何「馬化」，而他們有著無法單一化地存在著華、巫、印的民族氣息，同時他們互相間強調其存在並非狹義化，使其成為一種不屬於國家形式的種族，以符合馬來西亞立國的願望。但是，香港儘管百分之九十是華人，也有百分之零點若干為歐洲人、印度人以至其他族類，在香港人的內心深處，並未發現從「民族意識」出發去結合政治形態或社會運動來建構目標。在這方面，我們可以很輕易探索出一個理由，這理由就是基於當前中國政治形態所陳列著的左右對立而引申出來的戒懼。

熟悉現代史的華人都存在著一種潛意識——香港無非殖民地餘緒的產物，新界（即殖民官方所謂的新九龍以北地區）的租借地，租借期九十九年（即一九九七年為屆滿期），「滿期」之後的租借地是歸還中國的。前面也提到過，那一時期的中國政治形勢，陳列著左右兩個自稱是「正統」的政府，於是，就產生了一種惶惑的直覺，不論香港本島是割讓也好，抑或跟隨九龍半島成為租借地也好，它的「歸屬」都會陷入了難以適從的徬徨，香港人早已存在的不同依賴意識（包括依賴殖民力量或不同意態的中國左和右的力量）頓時在這狀態下陷入了完全消失之感。這種潛意識便從戒懼形勢演繹出一種結論：香港，僅是一個絢麗而又隨時零落的「時間性個體」，香港人的性格

也就凝聚出同等意態的型格，可以比喻為曇花最燦爛的時刻，也就是接近最凋謝的時刻。因此面對必然的絢麗或面對必然的零落，都把所有的歸結放任地讓時間去作主。這種潛在的意態，給予進入香港未幾的外來知識分子（包括來自大陸，臺灣或海外的）造成不安，而對活在現實中的香港人給予「沒有明天」的譏評。換句話說，那一階段的「香港人典型」是「只有今天」。

在英國人統治香港的階段，頭腦清醒的人應該觸摸到統治的意識，盡可能促使香港人的意念只有「香港」，而不沾染半分「香港」以外的任何關連，此中最明顯的是不讓「香港」沾上了「中國」的意態。在港英的架構下，有「新界理民府」，「鄉議局」，接近一九九七的時段，曾作了「改組」與「加強」，其間的「土地補價」及「公地拋售」，做的是把大量的土地讓民間佔有，統治層則掠了現金而去，表面上看來是民間擁有更多土地，以表示香港是香港人所共有，以減輕未來統治層的掌握力，而實質上，殖民統治層則收到實利，這中間，在心理上再度塑造了香港人的「土地心理」，這一著對香港型格發揮了培育的作用，也可以說，對香港型格的形成起著關鍵的作用。

記得在戰後第一次舉辦「香港小姐」選舉，當選的小姐被送到美國去角逐「世界小姐」寶座，便出現了一個不大不小的問題。參加「世界小姐」競選的各國小姐，在襟頭上都綴了一枚小型國旗或國徽的絲繡圖案，只有香港小姐的襟頭沒有這麼一個圖案。消息一宣揚，令香港人對自己的「歸屬地位」發生了疑問。一些飽受大英帝國熏陶的人以為應以英國米字旗作為標誌，一部分中國人卻以為應該以中國旗作為標誌，這一方面

有所分歧。由於左、右傾向的人各執一詞，引起激烈的爭議，又產生了「國際傾向」的繆轕，當這些爭議難以找出結論時，曾有漫畫家作了一幅諷刺畫，不知是「幽默」還是建議，替香港小姐襟頭綴上一隻大腳板作為標誌，因為「香港腳」（一種濕疹病）馳名世界。這雖是笑話，卻表現了「香港人」身份的尷尬。後來才產生一個「英皇御准」的圖案作為香港的標誌，這個圖案包括了龍形動物和一顆珠子，中間是一幅早期流行的香港圖畫，圖畫中有三桅船，岸上有一位中國人帶領著幾名歐洲水手。相傳這個圖案是「阿群帶路圖」，其中包藏了一個早期流傳的故事，那位中國人叫做阿群，帶引著第一批到香港的英人。這故事暗示了「香港人」的原義，同時也為「香港人」熔鑄了「衷心迎接抵達香港的英人」的意念，這一圖形的背後意義，當然是殖民統治者的主觀願望。

在客觀上，香港人似乎也不期然跟著統治階層的主觀願望走，這種情況粗看起來，隱隱似形成一種「魔術影響」力量；仔細思量，還是中國人本身從環境的外在和內在因素併合而成。

中國的政局變亂頻仍，經濟日形蕭條，而香港本身卻能日趨繁榮，香港有了它的凝聚力。一九九七年前後所引發的不安與期待，正是大多數對中共統治失望而逃港的中層人士的心理基礎。這些人的共同心理，就是對中國連年變亂的厭惡，恐懼，而尋覓避世的桃源，而他們竭盡所能去淡忘在厭惡，恐懼情態下所傳播的「愛國」這一名詞，因為「愛國」一詞所掀起的感應是拌雜著恐懼，厭惡與慚愧。他們對「桃源」的渴求，只是安定。而香港在地理上，距離厭惡、恐懼的來源又只是一

衣帶水之隔，在心理上，又促使這些人隱藏島居只是為了逃避，所謂「尋得桃源好避秦」是絕不敢從口中道出的。也因這個緣故，香港是「桃源」的意念更加小心避免。在這樣複雜的心理狀態下，便促使這些人成為戒慎，淡漠的「旁觀者」。

三談香港人的型格

　　香港人每天流播於港島，九龍之間，來去匆匆，使兩個渡海輪船公司的利潤逐年高漲，而殖民地的主宰者早就小心翼翼，把兩家渡輪公司分別由華人和英人來經營，這就是長期發展下憬悟出來的「統治藝術」，這一態況，在交通現代化到接近一九九七年殖民地基本改變的時段內，因過海隧道的開闢而改變。這些社會環境，對港人性格的塑造，都產生相當大的效應。回看香港人的生活秩序，人們為什麼來去匆匆？說穿了那是基於香港的「框架」太小，謀生的中心局限在一個並不怎麼寬鬆的小範圍，每天只好趕在人潮中間流瀉。這種「擠作一團」的流瀉所顯現的意義，是為了「活下去」而「擠」，於是，就滋生了一種空洞的消極意識——「生存下去」，就只有拼命的「擠」。

　　在混沌的年代，有這麼一個人，他是介乎知識分子與官僚分子之間，從國內來到香港，成為一個標準的小市民之後，住在九龍的木屋區裡，過著收買廢紙、爛銅爛鐵的生涯，一個機會給他收買了一個很大的破紙盒，中間赫然有兩部收音機，於是他拿去變賣，得到一筆本錢，開了一家涼茶店，賺了點錢，在郊區買了一幅地種菜養雞。後來郊區發展，土地改變用途，他這幅菜地給收購來改建大廈，他獲得一筆為數不少的資產，頓時變成小富翁，他的腦筋立即放在「炒地皮建大廈」的活動上，一帆風順，財富幾何級數增加。十年間，他由木屋居民一

步一步，轉變成半山區的富豪——這過程，就是「香港人」典型的縮影，也就彰顯了「香港人」的「生活意義」和「努力目標」。一個小市民從低低矮矮的木屋區往高處爬，從市區爬上半山區，從半山爬上山頂，登上了目標區，便可以從容地坐在露臺上喝著下午茶，悠閒地俯瞰山下芸芸眾生在人潮中擠拼。從這一例子可以得出一個結論，「香港人」的人生意義和前途就是這麼簡單。

爬上高處的人，往往是小說家筆下締造得「很完整」的人物，這些說法並不稀奇。猶如中國舊式士大夫的墓誌銘所刻畫的那樣：「某公」生平行狀「……幼聰敏，及長，胸懷大志……」中間的過程，不管是走私販毒，巧取豪奪，只消爬上山頂，自然有更好的描述加以頌揚，像「熱心公益，樂善好施」之類化惡跡為善行，我們常常在報紙上看到，廣播上聽到的「善長仁翁」事跡披露捐款的龐大數字，而這些善長仁翁表面看來顯得愛心無限似的，但其真實的一面卻另一回事，窮朋友伸手討十元八塊也遭到耍手搖頭，轉身疾走。這又是一個典型，正好產生在統屬於「反對社會救濟」的羅素哲學思維下的殖民主義觀念衍伸底下，這正是英式紳士世代所流佈下來所締結的又一「香港人」的特質。

長期以來，許多有心人在為「香港青年的出路」而憂心忡忡。老一套中國人構思：中學教育階段完成之後的青年有三條出路：一是考入港大、倫大或英國其他大學；二是去臺灣或大陸升學；三是去美國（近年來由於大陸的大學普及得有點驚人，無形中第二條路縮窄了一半）。這三條路中，有兩條是完全擺脫香港典型的道路，而這兩條路之中，論成就效應，進港

大、倫大或英國其他大學又比赴新大陸在心理上稍遜一籌。而
「港化」的現實卻是血淋淋的，那些法學家，醫學家，教育家，
會計師等「天之驕子」的銜頭，只能賦予依循港大、倫大等路
徑的人以「輕騎」，「速達」的方式進入目標，這條路程也彷彿
依靠「社會救濟」來產生紳士的途程那麼畸型。不過，紳士塑
造這是過程的畸型，而青年塑造則是結果的畸型。所以有許多
人曾經在爭論，港大在科學上出過什麼人材？當然，這些爭論
是徒勞的，儘管中國人在短期內產生了專上學院，但在理工、
文史上取得一定成就的人也終竟要被納入香港的教育系統才可
以存在與發展。這種情況使人了解到香港人的典型結構還是有
一定模式的。

有人咒詛香港是商業社會，太缺乏文學藝術，其實在表面
上，文學藝術正在有意無意間納入這個社會成為裝飾品。我們
曾發現英國文學藝術走向歐陸現代化的道路，而香港卻普遍流
播古典風氣（至少是佔有主宰層面的人物在作如此鼓吹）。因
此，芭蕾舞和古典音樂欣賞會成為紳士型格的炫耀場所，許多
紳士式人物絕不諱言他們在芭蕾舞、古典音樂座上打瞌睡，而
他們必須付出最大的忍耐力，去守候到完場，同時裝出滿足的
神情離開音樂廳。這就是文學藝術所泛現於這一社會的外貌，
至於年輕一代，他們都不斷在追求世界的「新」，文學藝術與
青年能掛得上鈎的，絕不是熟悉的一面，而是陌生的一面，新
從西方流播過來的「現代主義」、「存在主義」，在這些群體中
留下了印象，吸引他們排斥「熟悉」，追求「陌生」，「比尼克」
運動，「憤怒青年」運動同樣成為「新一代」的「典型理想」。
但是，這些「主義」和「運動」，他們所觸摸的只是皮毛，而

模仿到的也限於外貌。試看那些戴著刻上姓名手鏈的青年，哪一個具有「視死如歸」的豪情？（按：刻上自己姓名手鏈是戰後青年流行飾物，他們服膺「英雄主義」，願意為一種奮鬥目標隨時赴死，刻名的手鏈是作為辨認屍體之用。）他們在平靜中以一聲「嗨！」的招呼，結識了同路的異性，但是在一聲喝打之下，會拋掉他們所服膺的目標而逃得無影無蹤。這些皮毛的習染，只構成了港式阿飛的性格，卻距「比克尼」和「憤怒青年」的本義不知幾千萬里。那些屬於中國血緣的青年，也根本找不到半分溫柔敦厚的國民性，哪裡能夠談得上綜合了回教，佛教，尼采，佛洛依德哲學所糅合的「比尼克」（按：即包羅了東方和西方思維）和「憤怒青年」的精神本質？

　　美國的社會學家指出，美國的華僑社會沒有「阿飛」，要是拿「進步」的尺度來衡量，可以解釋為華僑社會故步自封，要是從社會結構來看，華僑青年由於有追求目標，才沒有餘暇去做沒有意義的勾當。回看香港，似乎可以引伸出一個結論來：生活得太無意義，欠缺目標給人去追尋，才產生出不藍不綠的趨向。有一點可以肯定的，香港這個社會，至今沒有一個稍具規模的文學藝術榮譽，也沒有社會性的理化學術榮譽，更可怕的是大家都養成對政法理念的逃避，迫使香港人只可以：一，皈依現實（港化的，循平地爬上山頂，服從社會救濟而產生紳士的道路）；二，遠離現實，找尋移民門路到美加去，最無奈的是回歸到中國社會去；三，渾渾噩噩地追求僅屬於器官刺激而沒有意義的目標。

　　近一個世紀，香港是在不斷地演化。

　　近一個世紀，香港曾是革命的溫床。

這特性一直引致中國統治層內心的恐懼與疾視。到一九九七年這個年份，統治層解除了內心的障礙，唯一可行的是接受國際間所構成的香港特殊性而擺出「安撫」的姿態，香港人也就在矇矓中直覺本身似乎有一種「政治免疫力」，而產生了介乎自大與自戀的特性，也就產生了一種最新的畸型心理的現實來，那就是突然之間冒出頭來的「巴士阿叔」這一「典型」。

　　這正好說明了一個事實——懂得愈少的人，內心總覺得是懂得愈多；目光愈短的人，內心卻以為愈是目光遠大。

　　於是，「香港人」在近百年間淘溶出今天的文化面貌來。

關於文藝這一話題

為文藝找功用

在香港，樣樣都講求功用，因為這地方是一個非常現實的城市，任何一種東西如果沒有實際效用，都是不必要的。因此，在香港如果要推廣文藝，人們不免要追問：「文藝有什麼實際功用？」

要說文藝的功用，許多政治家早就舉出了不少用途，無非把文藝引進他們的政權中間去，作為鞏固政權的工具；而教育家算是脫出了功利的道路，把文藝引入了社會教育上。說起來也不過與政治家的信念和看法略作了一些調整而已。在權力與社會之間作出界說罷了。

個人是服膺自我抒情的概念者，對於文藝，一向認為是人類自我發洩的表現形式，就算介入一點點社會觀，也不過是把個人的觀念聯繫到社會，亦即把個人的尺度來量度社會而已。所以，要說文藝的功用，在我的看法，是拿不出稱心而且具體的答案的。

文藝始終是一種情意的表達，它不可能為某種利益而服務。近日不少「有所為」的作家為香港文藝而經之營之，目的何在？稍有點頭腦的人都可以理會得到，存在這樣心思的人，正想把香港文藝納入他們的「殼」中。

為風氣尋去向

　　南來當年，香港文壇的荒蕪程度，很難形容，根本不能在文字的內容中去找「藝」，而真正能喚起香港人注意力的，乃是當年以一些僅及中學程度的小說來滿足閱讀者的需求。那時候提供小說的寫作人自然把心力放在「情節」的鋪排上，根本不去理會文字技巧，說到思想內涵，更屬「高不可攀」的玩意了。

　　長久以來，香港的文壇在逐步提高其表達內蘊，報刊的自我覺醒，網羅更多具有充分內涵的作品，促使讀者連帶著提高領受力，從而改變了閱讀意向的要求，不僅限於消閒的小說，進而使傳導思維與情緒的美文有了欣賞者，報紙刊物風氣為之一變，不再以連載小說為維繫讀者的唯一文體。近幾年間，雜文小品流行，一些作者都著重把個人的生活點滴入文，來表達個人感受，反映社會面貌。這種行文方式，正是早期林語堂所推重的晚清公安文體，尤其是林氏把李笠翁、沈三白的觀念宏揚，為文學愛好者稱道。

　　和圈內人談起流行文體隨筆，咸認為一些作者過份看重自我表達，而忽略了筆下所給予讀者的是什麼？寫小品隨筆的最大毛病就在誤以為自己的一切等於社會的一切。

　　其實，文章不論長短，都應該有縝密的秩序結構，絕不是只記錄眼前所見所聞，而不鋪陳「見」與「聞」所融匯出的「感應」。是以，能將見聞而「整理」出條理的文字，儘管它僅屬量「小」的文字，要是能把所見所知，結合了作者的所感，那就是「麻雀雖小，五臟俱全」，才是具備充份章法的文章。

依條理成文章

提到文章，正如前文所說，乃是具備充份章法的文字。一般人稱寫作為「寫文章」。任何民族、國家都有文字，把文字拼綴起來，表達出有組織，有條理，就是文章。

在我國歷史上，許多朝代都依靠文章來取士。要走上做官之途，首先要寫得一手好文章，於是，那些讀書人便埋頭去練習寫文章的技法，而一些教師也刻意傳授其「構思」的秘技，擬出一個大題目，叫練習的人從正、反、開、闔來結構鋪陳，看起來這些大題目竟能「旋乾轉坤」，於是朝廷「開科取士」，便取錄了一群懂得放言高論的人，而到了真正去面臨問題時卻手足無措，此所以歷史上常有「空談誤國」的文人。

文章在辭義上，「文」是一種花紋，也是錯雜的顏色。古代以紅藍相配稱為「文」，以紅白相配稱為「章」；後來引伸衍成：縱錯交雜是「文」，具有法度理路是「章」。今日的「文章」釋義便是依循這一解釋——寫得曲折幽深，又有條不紊，便是好文章。我們可以循此理解去掌握行文的方式，把一個題目集中去搜羅正、反，正、反和主體、枝節，依層次理路，明晰地申述，緊密地連綴，那就完成「文章」了。

從文章到文學

文字的組合，結構成文章，若從「表達意念」來說，這只是應用的初階文字。在諸般的學問中，有文學這一課題，就跨過了屬於「說明」的階段性效能，上升到較為專門的體制之

上了，於是，我們可以很簡單地領會到文學是一種專門性的學問，那是用文字作不同體例，深入地創發出不同內涵的作品。是以，在文學作品的體制內進行表達，一般都稱為創作，那是有別於記敘文的依事態來記錄、敘述的文字。

簡單地領會文學，當然是從定義入手。它包容了不同文體——詩歌、散文、小說、戲劇，大體上這一說法錯不到哪裡去，但嚴格來說，這不過是文學形式的分類，更直接而簡易的說法，屬於文學的理論才較為直接顯示了它的涵義。循此理路去作界說，詩歌、散文、小說、戲劇，都屬於作者內心構思出來的藝術品，大家都稱這些作品為文藝創作。

創作的四大類型中，詩歌和散文的表達，外形不同，內涵卻同屬心靈、情意的抒發，這些抒發所顯現於文字之上，分別是情意顯示了綽約的人物，輕盈的故事，纏綿的思維，鮮明的形象，各循不同品類，通過作者體現空靈的釋放或形態的運行，這就是創作上的「質感」，藉表達的形式來顯示出作品內在的靈魂，也就是人類活動的形態在文字上的重現。上述四大類型中，詩歌和散文，在情意上顯示於人物、故事、思維、形象的「靈思」之中，小說和戲劇，卻推廣於物象、形態的「動感」之中。文學創作就是循外而進入於內在來豐富質感，展露作家的內涵意象於不同類型的作品字裡行間，達至意念的完整表現。

文章四體外的遊記

在抒寫情意、形象活動的創作之外，一種記錄物象的文

字，應屬上述四種文類之外的遊記。傳統上都歸併於散文序列。可是，仔細觀察遊記的結構，它的內涵，是把外在的物象，融匯於內心印象之中，真正成熟而又具備觀察力所凝聚的遊記，絕不是一般的山、河、樹、石、房屋、橋樑、陰晴的表層記錄的文字。而是景物溶鑄於寫作人胸臆之間而用文字表達的產物。在旅遊事業發達的今天，業界不惜心力，運用各種可能去支持旅遊刊物，希望借寫作人的文字來烘托出旅遊熱點，以冀吸引旅遊者的注意力而投入觀賞玩樂之中，是以旅遊刊物配合旅遊界業務的推廣，著重旅遊點的地緣位置，山光水色，更重要的是旅遊的吃、喝、玩、樂各方面安排，加以渲染。於是旅遊刊物標榜這些文字是「遊記文學」。當然，把文學拉進「商業廣告」中間去，對廣告的作用大有幫助，可是，人們如果相信遊記的敘述方式是把一個景點的形相注入了吃喝玩樂，這就未免把遊記這一文體矮化了。

　　作為寫作人，執起筆來寫遊記，景點當然是主調，而進入景點之山、水、林、泉之間，那些自然現象與人為的結構，所潛在的縱、橫、點、線、面，除了直觀，還得透視更深的層面。從山水林泉，進入歷史興廢，正如宋代一首遊覽詩：「白塔橋邊賣地經，長亭短驛甚分明，如何只說臨安路，不數中原有幾程？」此詩寫景寫事，兼有批評，首句的「地經」，就是今天的「旅遊指南」一類文字。詩人把臨安（今杭州）在旅遊的「地經」中描寫得那麼清楚，何以忘卻北方大好河山給金人所佔領的事實？全詩正是借遊覽來諷刺偏安一隅的南宋政府。可以說這正是上佳的旅遊文藝作品。

　　寫遊記有如上述那首詩，兼有「指點江山，議論得失」的

內涵。近代有名「遊記」應推俞平伯和朱自清所寫的用同一題目〈槳聲燈影的秦淮河〉，兩人寫法完全不同，卻都具備了點、線、面的寫實及史、地的興亡感。古代著名的遊記，徐霞客獨具風格，其作品窮究山水，引發情趣，這是求真的重點表現。

循遊記評點史事

不屬創作的遊記，雖可歸入文章四體中之散文系列，但它具備了一種特殊表現的格調，獨立構成另一體裁，條件充分。和遊記意象相若的，還有一種以小品形式，縱談史事的文字，也值得獨立自成體系。

以小品形式縱談史事，最大的焦點是不能誤導歷史，曲解歷史，而最大的情趣是在諷責誤導，訂正曲解。

站在歷史面前，古往今來，文人的沉重感就是「治史」。所謂「治史」，是依循史料的流傳根據，循理路去尋求真相，此中便顯示了治史的精神所在的「解構力」所發揮的邏輯，報章上常見的專欄，以史事來發揮想像力的文字，多數放在傳抄無根的故事，加以個人的觀點來陳述感性的慨歎。這樣的「談史」，一般視為「掌故」的傳述，距離「談史」十分遙遠。在這兒，實在應該把「談史」與「掌故」作一鮮明的界說；「掌故」，實實在在是一般流傳下來的舊事，它的存在是無根的（更確切一點說是找不出源頭的傳說）；「談史」，則必須依循「治史」的大原則，把事件的焦點，依循存在的源頭來評點流傳的偏差或變化所掀動的誤解。舊日文士視史事為嚴謹的「公案」，一觸及史事，便非得板起臉孔來從根理解，然後傾力去論述，

以推敲的理路來顯示才智、觀念的高下。這是從事全般史事論述的「大學問」，在科舉制度下，用以「取士」的標尺的一種。今天的「談史」，則是讓「知」、「見」在輕描淡寫之下，來催發史事的流變；基本上遵守「治史」精神來理解焦點所專注的剖析，以期得出事態脈絡的所在。治史精神的淺顯面的啟示，常見於史事揭開便即產生評點的揮發力。像杜牧的〈阿房宮賦〉，直寫「六皇畢，四海一，蜀山兀，阿房出……」簡單點明「阿房宮」建造於六個皇朝已成過去，四海統一了。焦點放在「蜀山」因建造「阿房宮」的龐大工程而被大肆砍伐樹木，弄得全面光禿禿了。這就是一開始就把建造宮室所造成摧殘力作出抨擊，然後，敘述事態，依循事態來浮現營造宮室，容納妃嬪所造成的「荒淫無道」，而在「談史」的高潮所在作出興亡的論斷，最後點出：「嗚呼！滅六國者，非六國也；族秦者，非秦也……」表面是慨嘆，骨子裡乃是對「興亡」作出了結論。此例子，足以給「談史」者有明確的敘述兼具評斷的所在。

為了分辨「談史」有別於「談掌故」，主要點乃在於史事是存在的，取材於史事而循理作出評斷；相對的，引述非存在的事件（或只是傳說的事件）而加以談論（或作懸想），就絕非「談史」。更重要的，不在於興亡的慨嘆，而在於興亡脈絡探索。

文學史是完整的文學觀念
——樂於回顧，勇於前瞻

　　在香港一住，超過了五十年。好幾位訪問過我的人都很關心我曾經說過的那一句話：「初抵香港，是以過客心情，滿以為只略作逗留，或遠投異邦，或重歸故里，哪知……」這話到了今天，大概算是有了結論，證明了並非「過客」，而且寄以「安身立命」的希望於斯土。而半個世紀以來，在這一片土地上生活的人，曾以至誠來衍述「中華文化」。這些人，多半是來自內地的飽學之士。他們對當年大陸的統治層引進來自歐洲的馬克思發軔於工業革命時期的社會現象而產生的病態來建構他的「主義」並實行諸農業尚待轉型的中國社會，深有「盲人騎瞎馬，夜半臨深淵」的險象。所以這些飽學之士在香港不湊「革命」的熱鬧，卻以居高臨下的心情來俯瞰文化的運行，來談「中國文化」，冀能以文化精神來抗衡政治之重壓。

　　五十年代高呼文化傳統精神的人，努力闡揚的重點，是在學術的傳統與道德的傳統上，從春秋戰國到秦漢，諸子百家，學說紛陳。五十年代的對傳統文化的傳播，是承接國內知識分子南下的高潮，形成了一股主流，讓還未站穩腳跟的新生代單純地接受。可是，進入了六十年代，當新一代慢慢接受本土的教育意態之後，傳統學術文化和道德規範，受到了西方教育模式灌輸而產生質疑。至少，晚清的史例猶在，致力「君主立憲」的人是格於西方「船堅炮利」的現實而倡談強國之道。這樣的意識形態迴蕩於學校教育體制，蔓延到西方意識所加給於教育界的授受之間，導致新一代在縱的承傳與橫的移植所產生的對

應，由迷惘到存疑。此一現象，到六十年代開始顧瞻，一點一滴的加添，從反思直到產生了摒棄。在六十年代學術界中人認為香港的新生代，已呈現的景象是「崇洋」的浮起轉化為「忘本」的強烈意識。特別是在文學的認知上，由於西洋文學注入學校的課本，坐令香港學生在文學領域所認識的是西方的概念，而傳統的文學知識卻一無所知。於是，西方的文學名詞在這新生代琅琅上口，一提起文學，當然是西方的，日積月累，當有人提起中國文學時，往往有這樣的反應：中國也有文學？當然，這是較為疏離的例子，而較普遍的事例是：中國文學淺薄單純，西洋文學卻深邃博大。這樣的論調，就形成了六十年代的崇洋觀念。使愛好文學的人閱讀詩篇時，心中只有莎士比亞、白郎寧夫人、拜倫、雪萊、濟慈等等，卻無視李白、杜甫以及更古典的屈原。受到一點西方式教育的香港青年，在文學上最喜歡侈談西方的浪漫主義、現代主義，更近一步的侈談「意識流」。他們片面地認定西方文學的全面發揚，在在都是中國傳統所無的創作模式。這一時段的文藝青年的跋扈，湊巧遇上了那一群只聚焦於「人文」概念下的治學方式之論者，他們無法參悟什麼是「浪漫主義」，什麼是「現代主義」以及什麼是「意識流」，也只好任由那一群人硬指中國只有「寫實主義」的文學了。

如果要在中國典籍中去找「浪漫主義」、「現代主義」以至「意識流」這些名堂，當然無法找到。但是，如果對「浪漫主義」、「現代主義」及「意識流」的涵義有認識，那麼，可以不費吹灰之力，在中國古籍中可以找到符合相等涵義的作品，最為中國文學界人士所樂道的詩人屈原，他的作品，以主觀理想

作為出發點，在人性的解放上發揮到極致，描繪了純樸大自然的神秘多變，比起十九世紀才在英、德、法所發展出來的浪漫主義的主流，早了很多。屈原之外，往後有許多詩人如杜牧、李白、陶潛等都有許多為人傳誦的，更符合浪漫主義內涵的作品。在此值得一提的是杜牧的〈阿房宮賦〉，賞析起來，更具備了浪漫主義，兼有意識流傾向的不折不扣的「散文詩」。他把觀念、思維，流瀉於表象，讓它有意無意之間，隱約顯現了似有若無的「故事性」。這些例子，都不是那一時段（意指六十年代）侈談文學屬於西方，無視我們傳統的人們能理解的。「現代主義」的創作意態，要把理性擱到一邊，讓作品的速度和震盪，都隨著情緒的傾向而擴大。只要肯去瀏覽傳統作品，就可以無限量的取得例證。不可不知，最具「意識流」全般要素的作品，個人敢肯定，《列子》是首屈一指的最佳例證，其次才是《莊子》。那些等而下之的持論，「讓賈寶玉拋掉那枝作詩填詞的毛筆，搖身變成羅蜜歐，一腳踢翻香爐藥鐺，使林黛玉變成朱麗葉」的人，就更加不懂什麼是文學了。

也有人從「生活精神」來抨擊「中國文化太舊，太少吸引力，太振奮不起生存意態，以至根本沒有科技智能」，持此論點的人，往往從最近生活行為上的活動來比較，以「西部英雄」的活潑形象，應居那些「少林」、「太極」諸拳術之上，因為動手乃是「自由搏擊」，拳術是要依循既定的攻擊與防守的法則來管領搏鬥的「理路」。打起架來，誰會依你的攻與防的秩序來出手？新世紀的生存條件就是機動與速度，武學如此，文學亦如此，而中古的「騎士」也各自存在著與生的理則作底子的「武德」。傳誦人口的「騎士精神」，就比起東方的懶洋洋的講

求「武德」明朗而清晰，那是「健」、「力」和「速度」的融會。

六十年代既有了一種偏向西方的人群，看不慣這種觀念一面倒的人，往往也產生一種衝擊性的論調，認為這種態勢所散播的意識，最易產生「洋場惡少」。這種「惡少」型的人物，服膺於西方情調「儀注」，形象可分成兩類，一類是見面一聲尖銳的「揩！」隨即明快的動作，握手相搖，拿起鴨舌帽一揮，盤問：今宵何處去？一旦轉入民族性的話題，最爽快的莫如痛斥歷史文化之不足恃。他們會強調：上帝比佛祖強，不然，何以那些具備長遠文化的民族子弟，要手持鳥槍在銀行當護衛？另一類則是「洋場紳士」，同樣崇拜機動與速度，但他們的「健與力」發揚於中古式的「騎士精神」之上，讓弱小有緩衝餘地，讓性別去締造權威。像這樣的「時髦馳想」，也真的帶著西方「騎士精神」的輕快感。但是，如果肯率性一點去領會一下怎樣承傳一個具有中國「士人」資格全般內涵的人，那就知道中國的文化精神並非積弱、被動、委屈、順受的消極的人。中國的「士」，必須具備完整的「六藝」，才符合標準。六藝是禮、樂、射、御、書、數。這六大知識的全盤認識，洋才子聽了，恐怕要瞠目結舌。

在這樣不同文化表現底下，產生的衝擊，在六十年代表現得顯著而尖銳。說到底，還是兩種文化久缺「溝通」所造成的對立現象，傳統文人加一個「帽子」給那些只懂得西方的人以「洋場惡少」名號，而那些醉心西學，不懂中國文化傳統的人也送一個「帽子」給傳統人士以「藍袍夫子」——這形象隱約還替他加上一件紅頂黑緞瓜皮帽。其實，像六十年代延伸下去的七十、八十年代，殖民教育所採的方式，不是這樣「取締」，

那樣「嚴禁」，而成功地訓練出以西方歷史知識推宕了中國歷史知識，成功地灌注了「新思維」產生了當時一群有知識的文學愛好者，接受了所謂「現代主義」，產生了一種唯西方意念，才可以宏揚存在的論點，在這樣認知的情態下，最顯著表現出來的，是崑南的《地的門》，這個作品具體展示了中國的遠古神話，必須接受西方意念，才可以產生應有的意義。這一例子的啟示，令我們發覺戰後那幾年，西方在香港所推行的殖民教育收到極高的潛移默化的效果。

上述的情態，亦反照出香港那一時段要宏揚中國文化的人，十分缺乏全面的識見，不明白西方歷史面貌，只採「防堵」、「隔離」的對壘，換句話說，那一時期的「飽學之士」不知道由高處俯瞰文化，比由平面觀望文化更能達至全面之印象。

七十年代，個人在日本所接觸到的著名作家，他們虛心地研究世界文化，還比較他們的自己文化，單以「詩」作出發點，他們早就認定西方（包括文學比例佔份量的英法），實際接受了中國的《詩經》以至屈原的《離騷》表達意態的形式，才產生象徵意義濃厚的作品。日本作家的洞察力，真的比一般人強。說到底，一般人只憑一己的直觀就去肯定西方的詩如何了得，再看東方古文明國家的詩，除了中國的《詩經》、《楚辭》，還觀察了印度史詩《羅摩耶那》（*Ramayana*），作比較判斷，所得的結論是：西方的詩，相同格調的比東方的詩晚出了一大截時間，由此一現象推衍，西詩受東方的影響，尤其是受《楚辭》那種象徵意念的影響，最為明顯。

再從今日寫作人所醉心的「意識流」來觀察，我們的《莊

子》、《列子》以至《楚辭》所表現的手法，簡直就是「意識流」中的「意識流」。我們絕不非議寫作人放眼觀察，但我們總覺得，內心存在著那種鄙視傳統而欠缺「研究精神」，只看一眼，便下結論的人，他們早就存著「外來和尚會唸經」的心態。其實，這就是在治學上的一種「懶惰」的典型。

正因為有此現象，就迫切地促使我們對傳統的回顧。如何讓新一代認識「外來文體」早已存在於我們固有的典籍之內。如何讓舊一群領會「發展趨勢」應該向前融會時代觀念之內。較早些時，我曾於「新詩問題」的研究，提出了「新舊接軌」的呼籲，列舉早期的新詩人，對傳統詩詞的認識是深厚的，因此他們具備了「推陳出新」的條件，尤其應該領會的是：詩情的培養，傳統的詩學觀念要比新詩人所擁有的意念深厚得多，運用既有的「詩觀」進入「新詩」的序列，應比缺少內涵的新詩摸索者更能產生詩情，創造詩境。基於同樣的理路，我們認為新文學的另一序列（包括小說和散文）的表達，最為迫切需要，正是新與舊的，傳統與潮流的接軌。要知道一個具有長遠文化淵源的民族、社會、文學的發展（也可以說是「潮流」的鼓動），早已作出了不同意念的推移。眼前的新一代和老一代的「敵對現象」的形成，是新一代頑固地肯定舊的陳腐，沒有生命力，他們不屑一顧傳統文學本已存在的《列子》、《莊子》以至後來的李白、杜牧的作品中的意念；同樣，老一代也頑固地敵視新一代盲目「崇洋」，把觀念擱在淺薄的框架之上，他們也不會一顧新一代所追求的美學知見的意向。

像這樣的「文學形態」，很明顯，拖慢了文學生命力的擴散，阻礙了文學向前看的推移。這就說明了「文學」的「新舊

接軌」的需要十分迫切。個人認為，新一代和老一代都有頑固的執著，要談「接軌」，首先，就是要求兩者之間，各自放下存在已久的「包袱」，讓新一代多撥些心力去「回顧」一下傳統文學；也讓舊一代抬起頭把自己目光向前面注視一下。

　　要知道，「接軌」是把今天的和昨天的串連，以求達到「完整」的「全面」。這個世界，原包羅著縱貫的時間（歷史），橫向的空間（地域），歷史告訴我們，馬可勃羅時代明顯地把西方的物質文明帶來東土，又把東方精神帶回西方——這是「完整的紀錄」，但在這紀錄的前後，一點一滴的移動，整個世界都在默默地交流，西方的文學，早有東方的痕跡，真正排除成見的研究者都可以把東方和西方的傳統作品列在一起去領會它的形貌與神髓，然後循時序的先後來下結論，就充份說明了我們所提出的新舊的「接軌」之重要性，而不應該再在「腐朽」的鄙薄，「潮流」的向背作自我的孤立。基於世界的縱向（歷史）、橫向（地域），都應該是一個「完整」的，而不是中間截斷過去（舊的）和現在與將來（新的）的關聯而成為兩個割裂體。同時，世界的橫向（地域），也不該築起藩籬，隔開「中」、「外」，成為兩個或多個割裂體。特別是屬於文化層面的文學，本是全類的「知見根源」，以頑固的成見去分割，無異把自己的「知見」擂成碎片，自囿於狹窄的天地。這裡不妨鄭重說明一點：文學如強自把縱的（歷史）、橫的（地域）斬斷，割裂，無異把自我縮小而甘於屈處一隅，真正做文學工作的人，起碼要回顧歷史，勇於承傳，同時也得瞻顧寰宇，領會潮流，這就是期望「完整文學」的建立，首先在新舊觀念的接軌。

文章出處表

現代小說的定義和起源

《中國學生周報》第二一一期，一九五六年八月三日

中國小說的發展歷程

《中國學生周報》第二一三期，一九五六年八月十七日

從「鴛鴦蝴蝶」到「都市傳奇」

《中國學生周報》第二一六期，一九五六年九月七日

小說的魅力所在

《學友》第三十三期，一九五七年四月二十日

武俠小說的存在與價值

《文壇》第一八一期，一九六〇年四月一日

新聞文藝與報告文學

《人人文學》第三期，一九五二年八月二十五日

散文‧散文的情韻

《學友》第十八期，一九五六年二月

雜文的道路

《文壇》第一三八期，一九五六年九月一日

談小品

《學友》第三十五期，一九五七年五月二十日

散文的欣賞與構思

《中國學生周報》第三二四與三二五期，一九五八年十月三日、十日

散文的沿革

《中國學生周報》第三二八、三二九期，一九五八年十月三十一日、

十一月七日

談談「雜文」

《中國學生周報》第三六四期，一九五九年七月十日

「詩」底革命

《學友》第九期，一九五五年五月

從韻律到民族本位

《學友》第十一期，一九五五年七月

談「劇詩」

《學友》第十二期，一九五五年八月

詩與美感

《海瀾》第三期新年特大號，一九五六年一月一日

漫談散文詩

《學友》第十六期，一九五五年十二月

詩與民歌

《學友》第三十期，一九五七年三月五日

心靈的花朵──詩

《中國學生周報》第三六〇期，一九五九年六月十二日

話情詩

《文壇》第二二二期，一九六三年九月一日

談客觀

《中學生雜誌》第三卷第四期，一九五九年十月五日

香港人的型格

《城市文藝》第一卷第六期，二〇〇六年七月十五日

再談香港人的型格

《城市文藝》第一卷第七期，二〇〇六年八月十五日

三談香港人的型格

《城市文藝》第一卷第八期，二〇〇六年九月二十日

關於文藝這一話題

《文學評論》第三期，二〇〇九年六月十五日

文學史是完整的文學觀念

《文學評論》第二期，二〇〇九年四月十五日